Opiniones
de un opinante

Enrique Mendoza Díaz

Prólogo de Francisco Igea Arisqueta

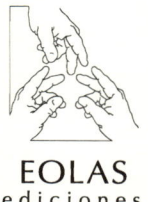

EOLAS
ediciones

© de los textos: Enrique Mendoza Díaz
© de la foto del autor: Gema Mayo Gadea
© de la edición: EOLAS EDICIONES

Diagramación y portada: contactovisual.es
ISBN: 978-84-16613-81-6
Deposito legal: LE-311-2017
Impreso en España - Printed in Spain

A mi amigo Fernando Martínez, en agradecimiento por tanto, pero, sobre todo, por su amistad.

Introducción

Este libro recoge mis artículos de opinión —tribunas— publicados en «Diario de León» desde el mes de marzo del 2014 hasta el mes de agosto del 2017.

Los temas tratados son muy variados. Pero, pese a su diversidad, todos ellos tienen un denominador común: la-ética-de-todos-los-días, la auténtica regeneración:

Casi siempre que hablamos de ética nos referimos a asuntos actuales de carácter político o económico, o a la ética de los otros… Rara vez a nuestras actividades cotidianas. Ser ético es ser una persona en quien se pueda confiar. Luchar por vivir sin dobleces, sin justificar nuestras acciones cuando sean malas. Al pan, pan, al vino, vino… Ésta es la ética de todos los días, la cotidiana, la que debemos cuidar prioritariamente porque con nuestras pequeñas acciones contribuimos —o no— a generar una cultura de confianza, de respeto a los demás.

Es muy fácil asentir a grandilocuentes propuestas de regeneración ética para tal o cual institución u organización. Y no tanto responsabilizarse de la propia vida, y cuidar el impacto de nuestras acciones en otras personas. Estaremos contribuyendo a la verdadera regeneración si nos esforzamos por mejorar las relaciones con las personas con quienes habitualmente convivimos, luchando por ser más sinceros, más honrados, más responsables, más trabajadores, más serviciales, más cariñosos… Nosotros primero.

León, 15 de agosto del 2017

Prólogo

Escribir un prólogo para el libro de un amigo es siempre una ardua tarea. Uno puede dejarse llevar por la amistad y cometer el pecado de escribir algo encomiástico pero insulso y en este caso el pecado sería mortal. Enrique no es solo un amigo y, sorprendentemente, y a la vez, compañero de partido. Enrique no es solo un gestor brillante y un escritor vocacional. Enrique es mucho más que eso. Enrique es, como diría Kipling, «un hombre». Porque Enrique es la ejemplificación del «If» condicional del británico universal: Ha tropezado con el triunfo y la derrota y a los dos impostores ha tratado de igual forma, ha caminado junto a «reyes» con su paso y su luz y caminado junto al pueblo guardando la virtud y ha logrado que sus nervios permanezcan junto a él, porque él lo quiere y lo manda.

Enrique es un hombre si, pero sobre todo un hombre bueno. Un hombre que en sus escritos se ocupa de las cosas importantes con el ojo siempre puesto en la humanidad, en lo pequeño. Porque para él lo importante esta en lo cercano, en lo mínimo, en lo simple. Uno de sus artículos, el valor de lo sencillo, lo ejemplifica bien. A veces es suficiente un poco de aire, un ventilador, para saber distinguir las cosas que pesan de las que no. A veces un pequeño soplido mueve a los livianos. Enrique ha resistido huracanes y siempre con esa sonrisa en la boca, en la mirada y en la pluma.

Este es un libro de opiniones, de artículos breves, pinceladas impresionistas que dejan ver el retrato de un ejecutivo brillante, de un político vocacional y atípico, que no conoce la ambición, pero sobre todo de un ser humano maravilloso. Un padre de familia que escribe sobre las reglas básicas de una comida familiar y un enamorado de la historia que te da un repaso por la historia de Europa en un par de párrafos. Un hombre enciclopédico y amable.

Disfruten de las opiniones, disfruten de su erudición y de su conocimiento, pero sobre todo si tienen tiempo y ocasión disfruten del bondadoso ser humano que habita en estas páginas. Un privilegio, puedo asegurárselo.

Francisco Igea Arisqueta

Índice

I

¿Por qué han desaparecido las cajas de ahorros?

7 de marzo del 2014

En días pasados, Diario de León publicaba la pregunta del procurador Alejandro Valderas al presidente Juan Vicente Herrera sobre cómo la Junta de Castilla y León va a compensar la salida de las cajas de ahorros de 30 entidades de las que formaba parte y a cuya subsistencia contribuían económicamente.

Las cajas de ahorros más antiguas se crearon hace unos trescientos años como instituciones sin ánimo de lucro, cercanas a las personas y con una clara función y responsabilidad social. Supusieron una fuerte competencia para los bancos ya que controlaron más del 50% del mercado: durante muchos años no hubo ningún banco que fuera líder en ninguna provincia. Se vieron afectadas por los cambios impulsados por los ideólogos de la desregularización que, en Estados Unidos, lograron la derogación de la ley Glass-Steagall que desde 1930 a 1999 separó las actividades de la banca comercial y de la banca de inversiones, y limitaba su ámbito territorial de actuación.

En España este cambio internacional de regulación coincidió con el desarrollo normativo de las Comunidades Autónomas y, a la flexibilización de su estatus jurídico, se añadió la politización de sus órganos de gobierno. A diferencia de otras crisis sufridas por el sistema financiero español, en la del 2007, la reacción fue demasiado lenta, entre otras razones, por la resistencia de las Comunidades Autónomas y por la falta de coordinación con el Banco de España.

A partir del 2010 se inicia un proceso acelerado de «transformación» con graves errores como la salida a Bolsa de entidades en estado de insolvencia, una maraña de artificios legales y contables y, siempre, un déficit de información clara a inversores, depositantes y ciudadanos. Como consecuencia de las reclamaciones de miles de damnificados hemos ido conociendo escandalosos casos de nepotismo en las contrataciones de personas, bienes y servicios que, aun siendo legales, repugnan a los principios éticos de la mayoría de los ciudadanos. Cuesta creer que nadie se diera cuenta de lo que estaba sucediendo y uno se pregunta por qué nadie protestaba o pedía cuentas... salvo que los responsables de hacerlo estuvieran logrando algo a cambio. Para muestra, por ejemplo, la lectura de los correos de Blesa es muy ilustrativa.

En fin, de las primeras pérdidas oficiales de 15.000 millones de euros (si uno lo intenta pasar a pesetas sufre el riesgo de desmayarse) pasamos a los 150.000 millones de euros de un año después... una desviación irracional, escandalosa. Y uno se pregunta, también, dónde estaban las autoridades responsables, por qué no tomaron medidas concretas más allá de las «advertencias», teniendo en cuenta la gravedad de los hechos y que la Ley de Disciplina e Intervención de las Entidades de Crédito, de 1988, hubiera permitido, por ejemplo, al Banco de España, intervenir, sancionar e incluso actuar sobre los órganos de gobierno de las cajas de ahorros. El endeudamiento provocado por este expolio hipoteca nuestro futuro y el de varias generaciones de españoles, por muchos años. Y tanta fusión y concentración, en mi opinión, supone una situación próxima al oligopolio, y un mayor riesgo sistémico. En fin, el tiempo dirá.

Quizá una de las consecuencias más injustas de la desaparición de las cajas sea el impacto negativo —desatención, incluso riesgo de exclusión del sistema bancario— que va a tener en los ciudadanos de las zonas rurales, en los pequeños empresarios, sobre todo en Castilla y León. La común —e interesada— posición de los políticos de los grandes partidos es que las cajas de ahorros no han desparecido, sino que se han transformado… Suma y sigue con la perversión del lenguaje. Las cajas de ahorros no tenían accionistas, no repartían dividendo, y sus beneficios (miles de millones de euros) se invertían en interés social de la comunidad a la que servían. Me cuesta creer que los dueños de los actuales bancos en que se han «transformado» las cajas de ahorros vayan a ser igual de generosos. Además, las Administraciones Públicas no están (y no lo van a estar durante un largo tiempo) en condiciones de llenar el vacío que deja la Obra Social de las Cajas de Ahorros que invertía miles de millones de euros en actividades asistenciales, educativas, deportivas, etc.

Por último, aspectos positivos de estos sucesos. La verdad es que cuesta…Uno sería que, ahora, la supervisión sobre los bancos vuelve a ser única; y, dos, que estos acontecimientos están sirviendo para movilizar a muchos ciudadanos contra la desvergüenza de algunos políticos, contra su impunidad, y a favor de superar el déficit democrático que padece nuestra sociedad.

II

Hay dinero para lo que les interesa

20 de mayo del 2014

Una chica que tiene beca desde hace cinco años ha estudiado su carrera con nota siempre por encima del 6'5, se preinscribe en un máster, le comunican su admisión en junio. Feliz, prepara todo, busca piso, lo encuentra, lo alquila y asume los correspondientes gastos. Cuando ya está lista para comenzar un nuevo año escolar, el 19 de agosto, el Gobierno de España cambia la nota mínima para obtener beca, de un 5 a un 7. Y, por tanto, se la deniegan. Ella alega que le den un plazo mínimo, razonable, para intentar mejorar su calificación, pero se lo niegan. Imposible, en tiempos de crisis cómo se le ocurre….

Sin embargo, acabamos de leer en Diario de León la noticia del aplazamiento —un nuevo aplazamiento, ya van varios…— de la entrada en vigor de la conocida como «tasa Tobin» que no es sino un impuesto a los depósitos bancarios. Este aplazamiento va a suponer un agujero para las cuentas públicas de 640 millones de euros que ya estaban previstos en los Presupuestos Generales del Estado. Las autoridades españolas han mostrado su comprensión con esta medida porque, dicen, es razonable que se les dé un tiempo a los bancos para que preparen el impacto que esta tasa va a suponer en sus economías. Aquí si hay compasión, delicadeza, poco a poco, prudencia… Aquí hay potentes intereses (y presiones) en juego.

Inevitablemente este episodio también me recuerda, por su relación con el tema de fondo, el asunto de la tan anunciada —y aplazada— llegada del AVE a León, y del tan traído y llevado soterramiento a su paso por nuestra ciudad. Que no hay dinero, que hay que ser responsables, que como se os ocurre plantear esto con la que está cayendo, que no hay dinero, que estamos en crisis… bla,bla,bla. Sin embargo, si uno lee con detalle el Boletín Oficial del Estado comprobará que si hay dinero (y mucho) para infraestructuras, para obras públicas y, en particular para el AVE. Si sumamos las asignaciones presupuestarias aprobadas durante los tres últimos años, el resultado supera los tres mil millones de euros; y, fundamentalmente, para la construcción (acelerada) del AVE a Galicia, «patria chica» del Presidente del Gobierno y de la Ministra de Fomento.

Luego dinero, haberlo «haylo»… Se agradecería que nuestros representantes fueran claros, transparentes, honrados y dijeran la verdad: hay dinero, mucho dinero, pero sólo para nuestros intereses, nuestras prioridades. Y sin caer en victimismos absurdos o demagógicos la realidad es que León no está ni en los intereses ni en las prioridades del Gobierno de España. Ni mi amiga Julia, la ex becaria, tampoco. Y a los hechos me remito. Para una chica que está finalizando sus estudios con buena nota, muy por encima de la requerida durante los últimos cinco años para lograr una beca, no hay comprensión, no hay flexibilidad, no hay razones para darle tiempo, un tiempo mínimo y razonable, para mejorar su nota y mantener la tan necesaria ayuda económica…. Pero para los bancos e instituciones financieras, sujetos de este impuesto (la tasa Tobin), que han ganado miles de millones de euros durante el último año (de lo que yo me alegro porque eso beneficia al interés general), un no sé cuántos por ciento más que el año pasado, y ello a pesar de la crisis (de lo que también me alegro porque espero que eso suponga, al fin, el restablecimiento del crédito para familias y empresas), para ellos sí hay tiempo, periodos transitorios, de adaptación, para que la agresividad de ciertas medidas políticas —dicen— no perturbe sus vidas y haciendas....

Lo que está sucediendo es más viejo que el hilo negro. Un nuevo episodio de la ley del embudo: condescendiente con los poderosos e implacable con los débiles. Esto es lo que hay. ¿Por qué es un despilfarro o una irresponsabilidad defender el soterramiento del AVE a su paso por León y no lo es iniciar la construcción de nuevos tramos cuando éste todavía no está terminado? ¿Cómo que no hay dinero para financiar los 350 millones de euros que cuesta nuestra obra si se han gastado, sólo hasta la fecha, más de 3.000 millones de euros en el AVE a Galicia? Si no hay dinero, no hay dinero para nada ni para nadie... Como dice el refrán: «o todos moros o todos cristianos». Es decir, igualdad de trato. Lo otro es cinismo, mentira, manipulación, y engaño. Y, sobre todo, una falta de respeto. Nos tratan como imbéciles cuando merecemos un trato de ciudadanos.

En fin, hay que buscar razones para el optimismo. Siempre suele haberlas y, en este caso, también las hay. En un Estado Social y Democrático de Derecho la indignación y/o el ajuste de cuentas entre representantes y representados se realiza a través del ejercicio del sufragio, votando. Así que ahora es cuando.

III

La República es mejor pero no es la solución

25 de junio del 2014

El deterioro de las instituciones españolas no tiene su raíz en el texto constitucional. Nuestras dificultades actuales son el resultado de políticas erróneas. El problema no es económico. Es político. Es de ejemplaridad, es de coherencia, es de legitimidad. Los ciudadanos necesitamos ver que los recortes, los sacrificios, son comunes a todos.

En España, con 47 millones de habitantes, 3,5 millones de ciudadanos aportan el 75 por ciento del dinero. La progresividad únicamente surte efecto para quien depende de una nómina. Los ricos pueden refugiarse en las sicav o amenazar con trasladar su fortuna si les tocan sus privilegios.

La sociedad muestra hartazgo al ver cómo al Bárcenas de turno la declaración del IRPF le sale a devolver y, año tras año, los ingresos declarados por los trabajadores superan a los declarados por los empresarios. Muchas empresas, grandes empresas, se quejan de lo elevados que son los tipos impositivos del sistema tributario (el 25, el 30) pero, a la hora de la verdad, muchas de ellas, casi todas (las grandes corporaciones), sólo pagan el 5% y ello porque tienen privilegios para no pagar impuestos a través del exclusivo mundo de los agraciados por las exenciones fiscales. España debe luchar contra la economía sumergida y el fraude, así como revisar la fiscalidad de las grandes compañías. La merma en la recaudación por el fraude fiscal de las grandes fortunas y de las grandes empresas se estima en unos 42.000 millones de euros. Nada más y nada menos.

La crisis ha destruido 31 empleos privados por cada uno público. La gran reforma no acometida por el Gobierno de Rajoy es la de la Administración Pública. No se ha fusionado ningún ayuntamiento, no se ha prescindido de ninguna diputación… ¿por qué? Porque a las organizaciones del sistema no les interesa, se estima en 145.000 quienes cobran un sueldo, un buen sueldo, en sus puestos de libre designación. El ERE pendiente es el de los enchufados.

Muchos ciudadanos están hartos. Quieren transparencia, saber qué se hace con su dinero, con el de sus impuestos, en qué se gasta. Se tiene una generalizada sensación de que cada día se paga más pero, sin embargo, empeora la enseñanza, la sanidad y todo aquello que podría ayudar a mejorar la calidad de vida de las personas. La venta de una —sólo una— de los cajas intervenidas (Caixa Galicia) ocasionó tantas pérdidas como el recorte en educación. Y eso a mucha gente no nos parece razonable. Hay otras formas, alternativas, de hacer las cosas.

Una cosa es una economía de mercado y otra, muy distinta, una sociedad de mercado. Ciertamente, no puede haber libertades personales y políticas si no hay también libertad de mercado. Pero una economía de mercado no se identifica con el capitalismo montaraz, ni exige la desaparición del Estado social, ni del poder moderador del Estado sobre el mercado. Cuando esto sucede, pasamos de la economía de mercado a la sociedad de mercado, en la que todo —hasta las personas— pasan a estar en venta, y el descarte de vidas humanas se convierte en un inevitable efecto colateral del sistema. La actual crisis económica pone de manifiesto la diferencia que existe entre el libre mercado y el capitalismo financiero desregulado.

Los mercados no se autocorrigen. Esto ha quedado más que demostrado. Durante las últimas décadas, el PP y el PSOE, nos han intentado convencer de las virtudes de la desregulación. Y que, en todo caso, se trataba de una materia sólo apta para los científicos de la economía donde las ideas y la política no debían inmiscuirse...Hoy sabemos que eso nos es así. La experiencia documentada prueba que lo privado no funciona necesariamente mejor que lo público. Las bondades de la liberalización son claramente cuestionables.

La política necesita aire fresco y sabio. Y esto no es cuestión de edades sino de ideas. Algunas de las propuestas de estos jóvenes políticos de moda son más antiguas que la rueda. La demagogia y la mentira prenden con mucha facilidad en situaciones como la que actualmente atraviesa España. Soy republicano por una cuestión de principios. Pienso que la república es muy superior a la monarquía como forma de Estado. Una hermosa manifestación del principio de igualdad de los ciudadanos, fundamentada en nuestra común dignidad como personas. Pero no nos engañemos, la forma de estado, únicamente, por sí sola, no es garantía de nada. Y para muestra un botón: la República de Venezuela, que es el sexto exportador de petróleo del mundo, es incapaz de garantizar los servicios básicos de sus habitantes.

Quizá España necesite un nuevo contrato social. O no. O baste con mejoras, con nuevas formas de hacer política, capaces de construir un proyecto de futuro que genere ilusión a la mayoría de los ciudadanos. Donde lo importante sea el contenido, el qué se hace y el cómo se hace. No la forma de estado. En fin, como decía mi abuela «hijo, a veces, lo mejor es enemigo de lo bueno».

IV

Ni participaciones ni preferentes

5 de julio del 2014

En estos días, se han cumplido dos años desde que UPyD presentó una querella por estafa, apropiación indebida, falsificación de cuentas, administración fraudulenta y desleal y maquinación para alterar el precio de las cosas, contra todos los miembros del consejo de administración de Bankia y su matriz, Banco Financiero y de Ahorros, que ostentaban esta responsabilidad al tiempo de su salida a bolsa. Y también, dos años de las primeras sentencias de los Tribunales de Justicia sobre las participaciones preferentes.

En principio, las participaciones preferentes como producto financiero no planteaban ninguna objeción desde el punto de vista jurídico. Y esto a pesar de su complejidad técnica y de los elevados riesgos para los potenciales inversores. Las objeciones, los conflictos, las injusticias surgieron con su comercialización. Y, en particular, a clientes con ninguna o escasa aptitud para comprender de una manera completa las características del producto cuya contratación les proponía el director de su oficina «de toda la vida», habitualmente de una caja de ahorros. Según las estadísticas sobre afectados, más del 80% ofrecen un perfil de ahorrador tradicional («de cartilla y plazo fijo») y mayores de 70 años… Personas que, en la mayoría de los casos, tras una vida de trabajo, esfuerzo, sacrificios y privaciones depositaron sus ahorros —y su confianza— en entidades financieras, sin ser conscientes de estar contratando un producto de altísimo riesgo.

La venta masiva de participaciones preferentes a ciudadanos de a pie o, en términos jurídicos, a clientes minoristas o consumidores, es sin duda el mayor fraude económico de nuestra historia reciente, salvando las distancias, como en su momento sucedió con la tragedia del aceite de colza. Les dijeron que eran como el depósito a plazo fijo pero con más intereses pero no les dijeron que el riesgo era elevado, que no estaban cubiertas por ningún fondo de garantía, que no tenían plazo de vencimiento y que para su venta había que acudir a un mercado secundario que no tenía liquidez inmediata.

La consecuencia de la insaciable voracidad de algunas entidades financieras, y de sus agresivas políticas comerciales, ha sido que casi un millón de ciudadanos se han visto gravemente perjudicados en sus economías. Las denominadas «participaciones preferentes» están mereciendo la reprobación de los ciudadanos y de los Tribunales porque, deliberadamente, se trata de un término que induce a engaño ya que ni son participaciones en sentido mercantil y porque no incorporan ningún derecho que, en rigor, pueda calificarse como preferente. A excepción, del «derecho» a participar en las pérdidas o riesgo patrimonial del emisor…

Afortunadamente los jueces y magistrados, en la mayoría de los casos, están haciendo Justicia declarando la nulidad de los contratos cuando así se lo han demandado los perjudicados. Sin embargo, todavía, están pendientes de concretarse las responsabilidades de quienes diseñaron, autorizaron y comercializaron un producto financiero que ha dañado la vida (más allá de lo económico) de miles de personas. Y, en particular, la responsabilidad de la Comisión Nacional del Mercado de Valores y del Banco de España en el ejercicio de sus funciones de obligada supervisión de las entidades financieras.

Y también está pendiente la responsabilidad de los políticos del PSOE y del PP que legislaron a favor de que las empresas pudieran financiarse a través de los eufemísticamente denominados como «territorios de baja tributación» o popularmente conocidos como paraísos fiscales. Aquí está el origen de un problema que, además de los efectos comentados, perjudicó, también gravemente, a los accionistas que con la «deslocalización» perdieron las competencias que la ley otorga a su junta general y, sobre todo, el grave perjuicio a todos los ciudadanos españoles («Hacienda somos todos») porque las empresas emisoras de participaciones preferentes, domiciliadas en paraísos fiscales, dejaron de pagar en España miles de millones de euros en impuestos. En fin, esto es lo que hay… por ahora.

V

Aprovechar las vacaciones

24 de julio del 2014

C omo dicen los economistas el tiempo es un bien escaso. Quizá el más escaso de todos, y desde luego de los
pocos que no se pueden comprar. El tiempo es breve.
El manejo efectivo del tiempo es un factor clave para que una
persona viva una vida digna de tal nombre. Una óptima gestión
del tiempo aumenta la capacidad de hacer más cosas, y mejor.
Y, muy importante, disminuye tensiones innecesarias en la vorágine actual. Suele ocurrir que, en el dinamismo de nuestras
vidas, tengamos una lista interminable de tareas y no sepamos
por dónde empezar.

Una vida agitada no es más que la parodia de una vida intensa.
A la larga, quienes nos dejamos picar por el bicho de la prisa o de
la falsa eficacia terminamos dominados por las situaciones y por
las circunstancias, en vez de dominarlas. Nos dejamos arrastrar
por los hechos exteriores sin darnos espacios para que las cosas
decanten; juzgamos y decidimos con precipitación. Tenemos
que aprender a defendernos de la aceleración creciente que hoy
se quiere imprimir al trabajo y, desde luego, a la vida en familia.

Para descubrir el encanto escondido de las relaciones humanas y del trato cordial es preciso desacelerarse, conquistar un
mínimo de paz interior, perder el miedo a que el silencio sea un
invitado inquietante, y hacerse tiempo para ponderar lo que nos

ocurre y lo que ocurre a nuestro alrededor. Las cosas importantes piden reposo para considerarlas pausadamente. Por tanto, interesarse por el buen uso del tiempo no es sólo una moda sino una necesidad. Está comprobado que la capacidad del ser humano para prestar atención a un asunto va disminuyendo conforme pasa el tiempo. La intensidad con la que desempeñamos las tareas habituales también disminuye, y se hace imprescindible disfrutar de unos días de vacaciones para después retomar nuestras ocupaciones con mayor fuerza física y despeje mental.

A veces, algunas personas no encuentran el momento para ausentarse por una temporada debido a la enorme cantidad de trabajo que les rodea. Para superar esta limitación hay dos elementos fundamentales: la planificación de los deberes y obligaciones, y la delegación de funciones. La combinación de ambas puede liberar a la persona de la excesiva carga de trabajo que soporte. Es muy importante preparar las vacaciones para aprovecharlas mejor. Durante este tiempo de descanso debe prohibirse —absolutamente— realizar cualquier tarea relacionada con el trabajo: no llamadas a la oficina, no cargarse con documentos para leer, no emplear ese tiempo en pensar o escribir sobre algún proyecto. Con toda seguridad, la organización podrá seguir funcionando sin peligro de quiebra, a pesar de nuestra ausencia. Humildad: todos somos necesarios, pero ninguno imprescindible.

Hay que aprovechar las vacaciones para leer distendidamente, y sin prisas, sobre asuntos distintos a los que dedicamos nuestra atención el resto del año: novela, ensayo, teatro, poesía… Afortunadamente, a variedad literaria es amplia e interesante. También es la mejor época para pasar más tiempo con la familia y los amigos. A veces, se está tan absorbido por el trabajo que se descuida una actividad fundamental en nuestras vidas:

escuchar y aprender de las personas con quienes convivimos. Hablar, relajadamente, sin un tema fijo, «perder el tiempo» en conversar es enriquecedor y abre nuevos horizontes. Dedicar tiempo a construir relaciones, especialmente, con nuestra pareja, con nuestros hijos y con nuestros amigos: las personas no abrimos nuestra intimidad a quienes tienen puesta su cabeza en la acción o en el paso siguiente. Las relaciones superficiales no permiten sino amistades superficiales, relaciones de ocasión, amores superficiales.

Quizá nuestra auténtica «calidad de vida» dependa de que nos esforcemos por vivir serenamente. Aprovechar el tiempo para pensar en uno mismo y reflexionar. Quizá identifiquemos en qué podemos mejorar en nuestra vida. En fin, en vacaciones debemos dejar de lado la obsesión por hacer e intentar, simplemente, ser. O hacer menos y ser más.

VI

Para comunicarse es mejor hablar

10 de agosto del 2014

Hace tiempo que la última revolución tecnológica, la de las tecnologías de la información, nos está lanzando un mensaje al que parecemos estar haciendo oídos sordos. La mecanización ha marcado un camino de no retorno: que las máquinas hagan de máquinas para que las personas empiecen a ejercer de personas. Dicen algunos que internet puede acabar con las relaciones interpersonales. No sé. De momento, gracias al correo electrónico, se están volviendo a escribir cartas. Las cartas son mejores que el teléfono en algunos aspectos: normalmente están más y mejor pensadas, se leen cuando conviene o interesa, son más profundas, van al tema y permiten relecturas que son como conversaciones repetidas con matices diferentes al son de cada nueva revisión. El teléfono gana en inmediatez y agilidad, goza de la frescura de la palabra hablada, de los colores de la voz y el tono. ¿Y la imagen? También está resuelto por las mencionadas tecnologías de la información: basta con tener un ordenador (o teléfono) con cámara y ya estás en videoconferencia con tu interlocutor, o sea, ves con quien hablas. Todo resuelto.

¿Todo? ¿Y el calor? ¿Y el ambiente, el tono de las relaciones, los latidos del corazón, el pulso del día a día, las sonrisas, la pasión de las personas? Ésa parece ser la función que el mundo moderno deja para los buenos dirigentes, la de hacer que las personas se conozcan, se ayuden, colaboren y trabajen en equipo. En equipos cuyos integrantes están y estarán separados por miles de kilómetros, aunque puedan estar virtualmente juntos.

Con este panorama necesitamos personas dispuestas a ayudar a otras personas a llenar de contenido su trabajo, a entender la utilidad y finalidad de su labor, a colaborar con los demás y a sumar esfuerzos. El liderazgo no se asume, se consigue. Se lo exigen a quien tiene la responsabilidad de dirigir sus propios colaboradores. Claro que, para ello, es necesario que el directivo forme parte natural del grupo humano que dirige, sea uno más... Uno más que orienta, orienta y orienta...En realidad, un directivo no debería hacer otra cosa que pasarse el día hablando con sus colaboradores. ¿Qué la organización es muy grande? Pues tendrá que viajar mucho y beber mucha agua, porque la necesitará para seguir hablando, orientando. Sólo así podrá tomar el pulso al día a día del entorno que dirige y adelantarse al cambio. El futuro no está, se hace. Y lo hacemos las personas.

Aunque suene a tópico, los colaboradores son la inversión más valiosa de la organización. Son los únicos cuyo techo en valor añadido es, cuando menos, desconocido; claro que también son los más costosos, los más delicados y los más difíciles de rentabilizar...porque hay que hablar con ellos. Y algunos directivos están tan preocupados por mandar y tienen tan poca competencia que se han olvidado de hablar, de dirigir a sus colaboradores.

Nos gustan las casas grandes, las empresas grandes, los sueldos... grandes. Bueno, y no sólo en cuestiones materiales: también nos gusta pensar en grande y ser grandes personas. En la administración de organizaciones, también. Las estrategias han de ser «grandes». En los seminarios de moda se utilizan casos de empresas grandes. Se nos presentan los modelos estereotipados de las grandes empresas multinacionales. Supone un gran esfuerzo adaptarlos a nuestra realidad, evidentemente, más pequeña... Caballo grande, ande o no ande... La consigna es crecer y crecer, bajo el supuesto amparo de las economías de escala y de la sinergia de las fusiones. A veces, en la búsqueda de lo grande se ignoran las cosas pequeñas que suelen ser el camino prudente, la mejor vía, para alcanzar los grandes logros.

En ocasiones, nos inventamos atajos creativos para soslayar ciertos «detalles»... Nos saltamos principios, experiencia documentada y, a base de grandes zancadas, tropezones y pisotones, pretendemos llegar a-no-se-sabe-bien-dónde pero dejando una estela oscura de malas prácticas. Olvidamos las pequeñas estrategias, el valor de la comunicación directa, franca y oportuna, del trato humano, del respeto mutuo, de la responsabilidad, del sentido de equipo. Nos apoyamos, demasiado, en la tecnología y cada vez menos en el potencial de una buena conversación, de la emoción, de los sentimientos de nuestros colaboradores.

Las tecnologías de la información nos están abriendo de par en par el mundo de las comunicaciones, nos están llevando a situaciones técnicamente ilimitadas; pero no nos ofrecen más que el soporte. La comunicación en sí queda en nuestra mano. Y hasta que no se demuestre lo contrario, para comunicarse es mejor hablar.

VII

La ética de todos los días

30 de agosto del 2014

Existe un amplio consenso al afirmar que esta crisis se ha producido por una combinación de desenfoques y errores técnicos, y de faltas éticas. Ello ha puesto de manifiesto tres carencias básicas, que están en el origen de la misma: la de reglas adecuadas para regir el mercado global, especialmente el financiero; la de instituciones con capacidad suficiente para garantizar su buen funcionamiento y, finalmente, la carencia ética, sin la que esta crisis no se habría producido del modo como lo ha hecho.

Una teoría excesivamente permisiva con los mecanismos propios del mercado ha favorecido un relajamiento de las más elementales normas que guían la asunción y evaluación de riesgos; pero, a su vez, esa relajación no ha sido exclusivamente técnica, sino también propiciada por una serie de comportamientos que manifiestan fallos éticos.

Una crisis es siempre una ocasión de revisión y mejora que no puede ser desaprovechada. En este sentido hay que tener en cuenta dos peligros: el primero, nacido de la inercia, del miedo al cambio y de los intereses particulares en juego, es tratar de volver cuanto antes a la situación anterior, como si nada hubiera pasado. Este riesgo está mucho más extendido de lo que pensamos y puede limitar en gran medida la oportunidad de mejora. El segundo riesgo consiste en pensar que la situación puede resolverse únicamente con medidas de política económica, tales como una mejor regulación de los mercados, una revisión de los métodos de evaluación de riesgos, un grado mayor de cobertura por parte de los bancos y, en su caso, las necesarias medidas de ajuste estructural. Además de que todos nos esforcemos por debatir, encontrar y aplicar las medidas técnicas y políticas necesarias, la crisis actual denota quiebras económicas, éticas, antropológicas y culturales sobre las que es necesario reflexionar en profundidad.

Nuestro mundo, en el que todas las personas buscamos vivir con dignidad y paz, está sometido a mecanismos que generan desigualdades graves entre personas, regiones y países; a una lucha constante por mantener ventajas competitivas frente a otros; al afán de poder económico y político; a una cultura de «suma cero», en la que no todos salen ganando, sino que unos ganan a cuenta de lo que otros pierden.

Más allá de que se puedan (y deban...) aplicar medidas técnicas y políticas, la superación de los obstáculos mayores se obtendrá gracias a decisiones esencialmente éticas. La credibilidad ha pasado a ser uno de los aspectos fundamentales de la relación del individuo con la sociedad. Se trata, en definitiva, de la confianza que tiene el ser humano en sus semejantes e instituciones con quienes se relaciona. No se trata del aspecto formal de estas relaciones, que pueden estar reguladas por leyes o por acuerdos privados entre las partes, sino de la convicción íntima de las personas que sus derechos serán respetados y que los compromisos adquiridos se van a cumplir. La importancia de la credibilidad es mucha.

Desde el punto de vista económico, la falta de credibilidad incrementa los costes. Por ejemplo, la falta de confianza en las personas y en las empresas, lleva a la necesidad de constatar la identidad y solvencia financiera de los clientes, de tal manera, que cada día son más las empresas dedicadas a proveer este servicio.

Si no hay credibilidad en la justicia, se buscan mecanismos de solución alternativos al sistema judicial. La falta de credibilidad en la política y en los políticos ha llevado a que muchos ciudadanos no tengan interés en participar, ni siquiera votando. La gente normal ve a los políticos lejos de la realidad; y muchas de sus acciones, aun siendo legales, se perciben como poco éticas. Es el caso de los conflictos de intereses. La falta de una clara regulación de los grupos de presión (que de hecho existen en forma de asesores o relaciones públicas) es el origen de muchos de los desaguisados de nuestra actualidad.

La responsabilidad política como asunto de ética no se considera. Las dimisiones son rarísimas y casi nadie asume responsabilidades por la función que desempeña. En la opinión de la gente, la credibilidad o la falta de ella, se forma lentamente en el tiempo y generalmente no está asociada a un suceso específico, sino a un cúmulo de acontecimientos o detalles que alimentan la confianza o desconfianza.

Casi siempre que hablamos de ética nos referimos a asuntos actuales de carácter político o económico, o a la ética de los otros... Rara vez a nuestras actividades cotidianas. Ser ético es ser una persona en quien se pueda confiar. Luchar por vivir sin dobleces, sin justificar nuestras acciones cuando sean malas. Al pan, pan, al vino, vino... Ésta es la ética de todos los días, la cotidiana, la que debemos cuidar prioritariamente porque con nuestras pequeñas acciones contribuimos —o no— a generar una cultura de confianza, de respeto a los demás.

Es muy fácil asentir a grandilocuentes propuestas de regeneración ética para tal o cual institución u organización. Y no tanto responsabilizarse de la propia vida, y cuidar el impacto de nuestras acciones en otras personas. Estaremos contribuyendo a la verdadera regeneración si nos esforzamos por mejorar las relaciones con las personas con quienes habitualmente convivimos, luchando por ser más sinceros, más honrados, más responsables, más trabajadores, más serviciales, más cariñosos… Nosotros primero.

VIII

A favor del pequeño comercio

7 de diciembre del 2014

En los últimos años, el futuro del pequeño comercio se ha complicado debido a la fuerte presión de las grandes superficies y centros comerciales, a la amenaza del comercio electrónico y a la crisis económica que ha golpeado especialmente a este sector.

Un tema de actualidad por las recientes reivindicaciones de la Plataforma por el Pequeño Comercio y el Empleo en contra de la liberalización de horarios comerciales y la calificación de la ciudad de León como zona de gran afluencia turística. Tras la grandilocuencia de los términos legales utilizados «medidas urgentes para el crecimiento, la competitividad y la eficiencia» se esconde un clarísimo apoyo de las autoridades a los intereses de las grandes superficies frente al pequeño comercio.

Apoyar a las grandes superficies es apoyar un modelo social, económico y ambiental insostenible, injusto. Tenemos demasiados ejemplos de cómo destruyen la actividad económica local, crean empleos de baja calidad, deslocalizan la producción, fomentan un modelo de transporte más contaminante o participan de forma activa en la reordenación especulativa del territorio.

Sin embargo, son muchos —y, a veces, desconocidos— los beneficios del pequeño comercio. Reduce el impacto ambiental: mayoritariamente sus productores suelen ser productores locales y, así, se minimiza el transporte, la polución y las congestiones de tráfico. Se emite menos CO_2 a la atmósfera y se garantiza un mejor mantenimiento de la cadena de frío al ser menos los trasbordos de mercancía.

Más. A lo largo de la historia lo que llamamos «el centro de la ciudad» ha coincidido siempre con el centro comercial; el propio concepto de ciudad, en sí mismo, es un concepto basado en las relaciones sociales, entre las que ocupan un papel fundamental las relaciones comerciales. El comercio es, sin duda, un importante elemento dinamizador de la ciudad que mantiene los centros como lugares vivos llenos de actividad y de gente. El comercio es fundamental en la tarea de vertebrar la ciudad.

La proximidad de las personas que conforman el pequeño comercio, el hecho de dar vida a las calles, fortalece los lazos de la comunidad y humaniza ciudades y barrios. Con la proliferación de las grandes superficies la estructura de la ciudad como tal corre peligro y con ella su capacidad de relación social y de actividad comunitaria. Promover el pequeño comercio y el ocio local en nuestras calles es favorecer el tránsito de personas y vida.

Es lamentable la falta de voluntad política para la revitalización de los centros de nuestras ciudades. Tenemos que defender el urbanismo como disciplina al servicio de las personas: hacer la ciudad para el mejor desarrollo de las relaciones sociales. El modelo de ciudad lo debemos decidir los ciudadanos y, por tanto, debe ser un tema prioritario de la agenda política, especialmente municipal y autonómica.

El libre comercio también debe tener unos límites, aquellos que aconsejan la protección de las ciudades, de sus centros históricos, de sus barrios, de sus comercios y vecinos. Las ciudades que han apostado por un modelo «sin límites» se han encontrado con que los centros de sus ciudades están despoblados, y se han convertido en lugares poco atractivos, sucios, inseguros e incluso marginales. Y eso, creo, que no es lo que, la mayoría, queremos para León.

También es importante no olvidar la relación entre horarios comerciales y empleo. Los pequeños y medianos empresarios y autónomos del sector de la distribución comercial minorista y sus trabajadores suponen en España más del 80% del empleo del sector. Que no, que a más liberalización de horarios no hay más empleo. Las comunidades autónomas más liberalizadoras son las que pierden más empleo en el sector comercial porque las empresas que más trabajadores emplean —las tiendas de barrio— son, precisamente, las que se ven más afectadas por el impacto de las grandes superficies, las grandes beneficiadas por la liberalización de los horarios comerciales. Estudios hay muchos y de variada procedencia.

Tampoco se suele considerar el impacto que esta decisión tiene sobre las condiciones de trabajo del personal de las grandes superficies. Y también es muy razonable que los pequeños comerciantes quieran el domingo para descansar o para disfrutar de su familia. Sé de lo que hablo. En tiempos del ministro Boyer, a quien Dios tenga en su gloria, yo trabajaba en una empresa multinacional de hipermercados. Viví cuando se liberalizaron los horarios y por tanto, tuve que empezar a trabajar todos los domingos y festivos. La sensación que experimentaba, esos días, cuando bajaba al garaje y comprobaba que mi coche era el único que se movía a esas horas sólo es descriptible con palabras malsonantes y no es el sitio... La vida familiar se complica. Tu pareja y tus hijos descansan ese día y te esperan, y te necesitan. Y eso no sólo es una cuestión individual sino también de impacto social. Una dificultad más para la conciliación de la vida laboral y familiar.

Y, además, puestos a liberalizar horarios esto no tendría fin... ¿Por qué los centros de salud no abren los domingos por la mañana y así no hay que pedir permiso en el trabajo cuando uno va a su médico? ¿Por qué no puedo ir, cómoda y tranquilamente, un domingo por la tarde, a hacer gestiones al Ayuntamiento, a la Junta de Castilla y León o a mi banco?

Para algunos, afectados o no directamente, estas cuestiones pueden resultar absurdas e, incluso, una provocación... Es más, en los supuestos anteriores, sería incluso más razonable plantear su apertura los domingos ya que su horario suele ser de lunes a viernes y sólo por las mañanas. Y para comprarse unos zapatos o un frigorífico, por ejemplo, uno puede hacerlo de lunes sábado, en un amplio horario desde las 10 a las 20,30 horas... «¿Para qué abrir un domingo?» se podría uno cuestionar con toda la razón.

Y luego está, aunque sea brevemente, la cuestión fiscal. En pocas palabras y sin caer en populismo de inspiración venezolana...Los pequeños comercios son propiedad de conciudadanos nuestros, vecinos, gente a quien conocemos, que viven aquí, que sus hijos van a los mismos colegios que nuestros hijos, que viven en nuestros barrios, que pagan aquí sus impuestos y gastan aquí su dinero. En el caso de las grandes superficies, los dueños, habitualmente, son desconocidas sociedades mercantiles que tributan poco y lejos, a veces, muy lejos de León.

Grandes superficies y pequeño comercio pueden convivir en sana y armónica competencia. Lo verdaderamente preocupante en esta relación es que uno crece a costa del otro, con todas las consecuencias que estoy comentando. Algo que ocurrirá, a medio plazo, si no se toman las decisiones políticas oportunas.

Y cuando se acabe con el pequeño comercio ya sabemos lo que viene. Y para muestra un botón, o mejor dos: lo que ha ocurrido con las gasolineras o la energía eléctrica, por ejemplo. Aquí la libertad de elegir y los beneficios reales para los ciudadanos son más que discutibles.

IX

¡Sí se puede…!

27 de diciembre del 2014

Durante los últimos meses, casi todos los periódicos han publicado en sus suplementos de fin de semana algún artículo o reportaje sobre el aumento de las enfermedades psiquiátricas por exceso de trabajo. Ya no son enfermedades como úlceras, gastritis o cefaleas, sino serios trastornos psicosomáticos como las depresiones. Las causas de este tipo de enfermedades, en muchos casos, se encuentran en la enorme presión social y laboral que se ejerce en los colaboradores de muchas organizaciones. Ahora con la crisis más, pero antes también. La presión por cumplir los objetivos, por ganar una compensación extraordinaria, la ambición legítima por un ascenso que supondrá un mayor sueldo y un mayor reconocimiento social, pretensiones muy legítimas que pueden desequilibrar nuestra vida.

Como dicen los economistas el tiempo es un bien escaso. Quizá el más escaso de todos, y desde luego de los pocos que no se pueden comprar. El tiempo es breve. El manejo efectivo del tiempo es un factor clave para que una persona viva una vida digna de tal nombre. Interesarse por el buen uso del tiempo no es sólo una moda sino una necesidad. Una óptima gestión del tiempo aumenta la capacidad de hacer más cosas, y mejor. Y, muy importante, disminuye tensiones innecesarias en la vorágine actual.

Suele ocurrir que, en el dinamismo de nuestras vidas, tengamos una lista interminable de tareas y no sepamos por dónde empezar. El éxito laboral es estimulante, eleva el nivel de aspiración y conduce a dedicar más y más horas al trabajo. Sin embargo, pone en marcha un círculo vicioso que tiene varias consecuencias: Primera, el creciente número de horas dedicadas al trabajo produce estrés, con la consecuente atrofia afectiva. Segunda, el poco tiempo dedicado a la familia y la atrofia afectiva empobrecen la relación familiar y desencadenan tensiones entre sus miembros. Tercera, la persona que cae en esta adicción sufre por dentro el conflicto que nace de saber que no está cumpliendo con su familia. Y cuarta, la falta de armonía entre trabajo y familia daña a ambos.

La persona es una. Una vida familiar pobre y cargada de tensiones afecta también a la eficacia en el trabajo y a su lado humano. Este círculo vicioso puede tener efectos irreversibles y conducir a rupturas familiares. Quienes se dan cuenta a tiempo pueden salir de este círculo. Si eres capaz de ver el carácter prioritario de la vida familiar estarás bien encaminado para reorganizar tu tiempo, aprovecharlo, y mejor asumir las responsabilidades, en armonía contigo mismo y con tus seres queridos.

Es posible la armonía entre trabajo y familia, si se puede... Una vida agitada no es más que la parodia de una vida intensa. A la larga, quienes nos dejamos picar por el bicho de la prisa o de la falsa eficacia terminamos dominados por las situaciones y por las circunstancias, en vez de dominarlas. Nos dejamos arrastrar por los hechos exteriores sin darnos espacios para que las cosas decanten; juzgamos y decidimos con precipitación.

Tenemos que aprender a defendernos de la aceleración creciente que hoy se quiere imprimir al trabajo y, desde luego, a la vida de familia. Para descubrir el encanto escondido de las relaciones humanas y del trato cordial es preciso desacelerarse, conquistar un mínimo de paz interior, perder el miedo a que el silencio sea un invitado inquietante, y hacerse tiempo para ponderar lo que nos ocurre y lo que ocurre a nuestro alrededor.

Las cosas importantes piden reposo para considerarlas pausadamente, con oído imparcial. Y las personas no abrimos nuestra intimidad a quienes tienen puesta su cabeza en la acción o en el paso siguiente. Las relaciones superficiales no permiten sino amistades superficiales, relaciones de ocasión, amores superficiales.

Quizá nuestra auténtica «calidad de vida» dependa de que nos esforcemos por vivir serenamente.

Feliz Año 2015.

X

Compartir para ganar

9 de enero del 2015

Nos gustan las casas grandes, las empresas grandes, los sueldos... grandes. Bueno, y no sólo en cuestiones materiales: también nos gusta pensar en grande y ser grandes personas. En la administración de organizaciones, también. Las estrategias han de ser «grandes». En los seminarios de moda se utilizan casos de empresas grandes. Se nos presentan los modelos estereotipados de las grandes empresas multinacionales. Supone un gran esfuerzo adaptarlos a nuestra realidad, evidentemente, más pequeña... Caballo grande, ande o no ande. La consigna es crecer y crecer, bajo el supuesto amparo de las economías de escala y de la sinergia de las fusiones. A veces, en la búsqueda de lo grande se ignoran las cosas pequeñas que suelen ser el camino prudente, la mejor vía, para alcanzar los grandes logros.

En ocasiones, nos inventamos atajos creativos para soslayar ciertos «detalles»... Nos saltamos principios, experiencia documentada y, a base de grandes zancadas, tropezones y pisotones, pretendemos llegar a-no-se-sabe-bien-dónde pero dejando una estela oscura de malas prácticas. Olvidamos las pequeñas estrategias, el valor de la comunicación directa, franca y oportuna, del trato humano, del respeto mutuo, de la responsabilidad, del sentido de equipo. Nos apoyamos, demasiado, en la tecnología y cada vez menos en el potencial de una buena conversación, de la emoción, de los sentimientos de nuestros colaboradores.

Un amigo me sugirió que para ser grande el mejor camino es cuidar las cosas pequeñas. También en las organizaciones. Y una vía para identificarlas es aprendiendo de los demás. Independientemente de anglicismos, la palabra «benchmarking» expresa sencilla y llanamente «aprender de los otros», una acción habitual en nuestras vidas. En muchas ocasiones comparamos nuestra forma de actuar con la de otros que, pensamos, se desenvuelven de una mejor manera. Este proceso de comparación competitiva tiene la esencia de esta palabra mágica.

Pero cualquier organización y/o persona es un centro de realidad diferente, fruto de una historia de aprendizaje y de un entorno coyuntural. Por tanto, toda la información y las conclusiones a las que este proceso nos pueda llevar se desarrollarán por aplicación y no por extrapolación. Las experiencias son irrepetibles pero sus prácticas y estrategias pueden señalarse en contextos distintos.

Quizá por la escasa tradición que existe al aplicar esta herramienta de identificación de buenas prácticas se encuentran dificultades para la puesta en marcha de un proceso de «benchmarking». La ocultación de lo que se hace es un defecto habitual de nuestra forma de actuar. La visión de espionaje y de la copia suele sobreponerse a una visión de compartir para discutir y entresacar las ideas básicas de este fondo de conocimiento común en que consiste cualquier disciplina, y sobre todo aquellas en las que las variables psicosociales son tan importantes.

La falta de rigor cuantitativo es otro problema destacable. Lógicamente esta función está mediatizada por el enfoque cualitativo básico inherente a la actividad de muchas organizaciones. Sin embargo, debemos esforzarnos para buscar parámetros y ratios significativos de nuestra gestión. El discurso cuantitativo posibilita un mayor avance conceptual y podemos desarrollar más la práctica si somos capaces de traducirlos en índices comparativos.

Es fundamental desarrollar el aprendizaje de conocimientos enfocado más que hacia las habilidades hacia la forma de obtenerlas. Cuando hablamos de prácticas nos referimos a cómo conseguir que se lleven a cabo ciertos procesos. El objetivo es aplicar estos «cómos» en situaciones diversas.

No se trata de mirar a la organización de al lado. Tampoco de copiar una gestión que haya demostrado su validez. Ni siquiera es necesario introducir infiltrados en la competencia. El «benchmarking» pone las cosas más fáciles a las organizaciones que buscan en las experiencias ajenas una inspiración para trazar las líneas maestras de sus modelos de actuación. En una época en la que parece que no queda nada por inventar, las organizaciones que se distinguen por sus buenas prácticas recurren al intercambio de información para ponerse al día y desarrollar nuevas ideas que van más allá de la pura retórica. Compartir para ganar.

XI

Huellas, no cicatrices

19 de enero del 2015

Indudablemente, España está viviendo una de las crisis más dramáticas de las últimas décadas, y esta vez nos enfrentamos con una verdadera crisis estructural, no coyuntural. Las cosas no volverán a ser nunca más como antes ya que el trabajo será un bien escaso, los consumidores estarán más informados y formados, serán cada vez más exigentes —implacables si nos equivocamos— y muy, muy difíciles de fidelizar.

Los empresarios deberían recordar que el coste de mantener a un cliente es notablemente inferior al coste de captar a uno nuevo y que, este último, es, a su vez, inferior al coste de recuperación de un cliente perdido. Hablar de recuperación a estas alturas puede ser utópico si no nos replanteamos nuestros usos y costumbres. Con lo cual ¿por qué no hacer las cosas bien a la primera? ¿por qué no crear en nuestra organización una cultura de servicio que facilite fidelizar a nuestros clientes?

Esto significa contar con colaboradores con actitudes positivas, con ganas, con sentido de la responsabilidad y con formación suficiente para poder comunicar al cliente el servicio que queremos. En tiempos difíciles, quizá más que nunca, el trabajo en equipo es más necesario, que se unan los esfuerzos en una misma dirección. Trabajar, efectivamente, en equipo es una ventaja competitiva de las auténticas. De aquí la importancia de analizar por qué no se hace. La realidad nos enseña que trabajar en equipo —como la mayoría de las buenas prácticas— requiere esfuerzo. Y exige cambios (mejoras) a nivel de las personas y de las organizaciones. Implica cooperar, compartir información y tomar decisiones en conjunto. Sin embargo, muchos directivos han sido —y son— educados en la especialización, en el brillo exclusivamente personal y en el convencimiento de que sólo compitiendo se lograrán los mejores resultados.

Egoísmo, ambición, afán de poder, individualismo, competitividad extrema, que no duda en poner el pie encima de otro... son algunos de los calificativos con los que muchos ciudadanos definen a los directivos de muchas organizaciones. Quizá para revertir estas negativas opiniones se ha vuelto a poner el foco en la conveniencia de que los directivos se esfuercen en adquirir y desarrollar otras cualidades como, por ejemplo, el liderazgo basado en principios.

El directivo debe tener la capacidad de estar informado de todo lo relevante para su organización, de trabajar codo con codo con cualquiera. Tiene que saber del negocio y de la empresa, tener metas claras, mantener la política de puertas abiertas y contagiar a sus colaboradores para que estos se adhieran, ojalá con entusiasmo. Por tanto, el directivo, además de tener ciertos conocimientos de la industria o del mercado, debe tener la capacidad para relacionarse y comunicarse —efectivamente— con las personas: clientes, proveedores y, muy especialmente, con su equipo de colaboradores. Su principal tarea es coordinar a las personas a quienes tiene la responsabilidad de dirigir, para lograr los objetivos que se quiere alcanzar. Esto implica tiempo y habilidad para delegar, trabajar en equipo, escuchar a las personas y considerar su participación en la toma de decisiones.

Es probable que, por la velocidad habitual del ajetreo diario que vivimos, haya cosas esenciales que se nos escapan de la conciencia y, sin mala intención, no las advirtamos. Una de ellas es que varios episodios de las personas que conviven con nosotros dependen, en cierto modo, de nosotros, de nuestro comportamiento. Los dolores que causa una pareja, un hijo, un padre... son dolores existenciales que desvían la trayectoria de unas vidas que podrían haber tenido un cauce más feliz; el abandono o la indiferencia de quienes necesitan nuestro cariño deja huellas que no se borran ni cicatrizan fácilmente.

Pero tampoco se nos debe escapar que episodios, tal vez claves, de la biografía de seres menos próximos (compañeros de trabajo, por ejemplo) también pasan por nuestras manos. Acciones u omisiones —nuestras— que no han sido indiferentes en esas historias que en un momento han convergido con la historia personal. Un silencio cómplice, una actuación injusta, un mal ejemplo puede dejar marcas, cicatrices... Como también una palabra acertada, una muestra de cariño desinteresado, una mano que se tendió en el momento oportuno, un ejemplo positivo pueden haber contribuido —de modo que jamás sabremos— a hacer de esas vidas algo mejor de lo que hubieran sido. Son las huellas.

Nadie escribe a solas su biografía. Influimos, visible o invisiblemente, de una manera consciente o inadvertida, en las vidas ajenas. Atención a esta realidad, y esforcémonos por dejar huellas y no cicatrices: también en los equipos de los que formamos parte y/o tenemos la responsabilidad de dirigir.

XII

Sin diputaciones provinciales viviríamos mejor

11 de febrero del 2015

A l inicio de esta legislatura, en marzo del 2012, UPyD presentó una iniciativa para suprimir diputaciones provinciales, fusionar ayuntamientos y acabar con los privilegios fiscales que disfrutan el País Vasco y Navarra, todo lo cual hubiera permitido un ahorro de más de 35.000 millones de euros. Cantidad de dinero que hubiera tenido un uso alternativo muy valioso para la mayoría de los españoles: no hubieran sido necesarios los recortes en servicios públicos como la sanidad o la educación. Votaron en contra el PP y el PSOE. Recientemente, Unión Progreso y Democracia de Galicia ha elaborado un vídeo donde explica los beneficios de la fusión de municipios. Una excelente iniciativa de pedagogía política y comunicación que se encuentra en las redes sociales: muy recomendable.

El control presupuestario es imprescindible y todos hemos visto —y sufrido— lo que sucede cuando los recortes se trasladan a la sociedad. Es necesario que sea la propia Administración la que se los aplique a sí misma y se renueve para ser más simple, ágil y eficiente, al servicio de los ciudadanos que debiera ser su prioridad. Es urgente una administración territorial más racional. El desarrollo de las competencias autonómicas durante los últimos treinta años ha situado a España como el segundo país más descentralizado del mundo, por detrás de Canadá. En comparación con otros países, nuestras comunidades autónomas tienen unos amplísimos niveles de autogobierno que, en muchos aspectos, sobrepasan las competencias de los estados de una federación; y ello sin considerar los casos del País Vasco y Navarra, únicos en el mundo. Por eso cuando el PSOE promueve el «modelo federal» no sé a qué se refiere.

En 1980, España tenía unos 700.000 empleados públicos. En el año 2011 eran unos 3.200.000 y actualmente la cifra es levemente inferior. Periódicamente nos desayunamos con el descubrimiento de nuevos asesores, una categoría opaca de individuos designados que viven el mejor de los mundos. Me explico, trabajan para una administración pública pero como no son funcionarios no ven rebajados ni congelados sus pingües sueldos. Hace poco leí que el ayuntamiento de Madrid tenía unos 250 asesores mientras que el ayuntamiento de París, con muchos más habitantes, sólo tiene 36... O que Alemania con unos 80.000.000 de habitantes tiene unos 150.000 políticos y España, con 47 millones, 445.000 políticos.

Desde que se inició este debate a favor de una administración territorial más razonable se han dicho muchas barbaridades. Se nos pretende hacer creer que las diputaciones provinciales son parte de nuestras esencias patrias, algo así como los principios e instituciones del Derecho Romano. Y esto no es cierto. Las diputaciones provinciales se crearon en 1845 y, desde entonces, con luces y sombras, se han mantenido hasta ahora. El desarrollo del Estado de las Autonomías de la Constitución de 1978 fue una oportunidad perdida para evitar las duplicidades que ahora estamos sufriendo. Podrían haberse transformado en la administración periférica de los gobiernos de las comunidades autónomas, pero no fue posible porque los partidos mayoritarios no quisieron compartir su gestión territorial.

Lo razonable sería que en un país como España con más de 8.000 municipios de los cuales unos 2.600 tienen menos de 250 habitantes, y unos 6.800 menos de 5.000 vecinos, la prestación de los servicios públicos pudiera realizarse fusionando municipios para que tuvieran la dimensión y la dotación económica adecuadas. Además, hay otro argumento de naturaleza política, de regeneración democrática: siempre será mejor reforzar las competencias de una administración con legitimidad democrática directa como son los ayuntamientos en vez de beneficiar a las diputaciones provinciales que son entidades representativas de segundo grado cuyos miembros no son elegidos directamente por los ciudadanos.

Entonces ¿por qué no se hace? Porque a la «gran coalición» no les interesa. Son legión los allegados, familiares y amigos de políticos que cobran sueldos, buenos sueldos, en puestos de libre designación. El ERE pendiente es el de los enchufados. La actual dinámica institucional favorece el caciquismo y las corruptelas. Los diputados provinciales no son elegidos por los ciudadanos sino por los dirigentes de los partidos políticos. Y ya sabemos lo que ha pasado y lo que está pasando.

Las diputaciones provinciales tuvieron su razón de ser en el tiempo en que fueron creadas. Y, hoy, nadie puede discutir que los servicios que actualmente prestan podrían prestarse —sin ningún tipo de problemas y a un menor coste— por las delegaciones territoriales de los gobiernos autonómicos. No es posible que después de las transformaciones sociales y tecnológicas de los últimos años las administraciones públicas sigan funcionando bajo criterios del siglo XIX. La desafección de los ciudadanos hacia los políticos y las instituciones tiene que ver, también, con esa falta de adaptación a los nuevos tiempos. No es justo que después de varios años de crisis su gasto sea prácticamente el mismo y que la ausencia de reformas no haya detenido el incremento de nuestra deuda pública.

Por todas estas razones, por una mejor calidad de nuestra democracia, por su urgente regeneración, sería conveniente que desaparecieran las diputaciones provinciales y sus competencias se asumieran por de las delegaciones territoriales de las comunidades autónomas. Viviríamos mejor.

XIII

Hoy es siempre todavía

4 de marzo del 2015

El descubrimiento del genoma supuso una nueva etapa en la historia de la ciencia y de la medicina, en el sentido que permitió conocer la información albergada dentro de cada una de las células del ser humano, de la cual se derivan la estructura y funcionalidad de las distintas proteínas. Estas proteínas confieren no solamente la expresión externa del individuo, lo que se denomina fenotipo, sino también la funcionalidad de los distintos órganos y sistemas de las personas.

Desde el punto de vista médico, el conocimiento de los genes y su interrelación con la presencia de determinadas enfermedades ayuda a identificar alteraciones genéticas que predisponen al desarrollo de las mismas. En la misma línea, el conocimiento de estos genes alterados ha permitido la identificación de nuevas estrategias terapéuticas.

Uno de los aspectos del «libro de la vida» que más me ha llamado la atención es el dato de que los hombres somos muy similares unos a otros, con un nivel de homología del 99'99%, y donde las diferencias a nivel de mínimos cambios constituyen únicamente el 0'01%. En este sentido, está claro que, con una carga genética muy similar, son las condiciones personales de cada individuo y la forma en que ejerce su libertad como persona el camino que conduce a las distintas formas de orientar la libertad y el compromiso personal. Dicho de otro modo: la bondad y la maldad no están incoadas en los genes. Las virtudes humanas no vienen predefinidas a nivel de las unidades que componen el genoma humano, los genes, sino que, a partir de contenidos muy similares de genes, es la libertad personal y la integración del individuo en su entorno lo que permite desarrollar las distintas cualidades personales.

Igualmente, el conocimiento del genoma humano y el comprobar que las diferencias entre los distintos individuos no llegan al 0'01%, representan un sólido argumento que echa por tierra las tesis racistas al comprobar que el determinismo biológico no tiene razón de ser ni base científica en la diferenciación étnica. Las distintas personas e individuos que poblamos el planeta, más allá de nuestros rasgos diferenciadores, formamos una gran masa unida por una información genética que compartimos con una similitud prácticamente absoluta.

Sin embargo, no todos los individuos somos iguales, porque, de alguna forma ese 0'01% de diferencia en la secuencia permite la riqueza de expresión fenotípica con la que contamos en el planeta. Asimismo, la información albergada en el genoma queda completamente tamizada con el compromiso personal y la forma de enfrentarse a los desafíos de la vida. En esta línea, el barniz que aporta la cultura y la educación de la persona, como también su adquisición de una escala de valores, enriquece notablemente el contenido estricto de la información contenida en nuestro genoma.

En definitiva, lo que nos clarifica el genoma humano es que las características éticas, las virtudes humanas y la libertad del individuo no vienen regidas por informaciones contenidas a nivel de genoma. A partir de unos datos brutos que pueden constituir el conjunto del genoma, estas cualidades y características personales surgen de la forma en que la cultura, la educación y la integración con el ambiente moldean los aspectos básicos que componen la personalidad humana. No existe un «determinismo genómico» en el concepto global de persona. El compromiso que adquiere el individuo frente a su libertad y la manera de enfrentarse al mundo, es modulado en parámetros que no son biológicos. Afortunadamente.

Buscamos la felicidad en cosas externas y construimos la vida en torno a realidades que se encuentran fuera de nosotros. Nos olvidamos de construir nuestro interior, que es como los pies sobre los que se apoya toda nuestra existencia.

Muchas veces pasamos por alto la ética, los principios y valores, porque estamos ocupados en lograr el oro, la plata o el bronce, al precio que sea necesario. Lo triste es que después de tantos esfuerzos nos damos cuenta del gran vacío al que conduce esa tarea, a la que hemos entregado una parte importante de nuestra vida.

Reconocernos frágiles, vulnerables, es tal vez el primer paso para salir de esta situación. Identificar las tentaciones, las múltiples tentaciones a que nos vemos enfrentados diariamente es otro paso importante. Igualmente tomar distancia, hacer silencio y cuestionarnos sobre el sentido de lo que hacemos es un hábito que cada día deberíamos intentar desarrollar, con más esfuerzo. Quizá lo más significativo sea aprender a aceptar nuestros errores y los de quienes están a nuestro lado; y aprender a perdonar y a perdonarnos. Hoy es siempre todavía.

XIV

La transparencia no es postureo

5 de mayo del 2015

La degeneración de nuestra democracia se ha producido, básicamente, por falta de transparencia. En nuestro país tenemos un deficiente sistema de transparencia que ha favorecido la corrupción. Ejemplos recientes. Hace unos meses, el PSOE denunció el pago de más de 745.000 euros, entre enero y septiembre del 2014, en «bufandas» (gratificaciones) para determinados empleados públicos autonómicos que ocupan puestos de confianza como conductores y secretarias. El portavoz de la Junta y Consejero de Presidencia las defendió porque estos empleados, dijo, tienen una disposición mayor, casi sin horarios y con fines de semana incluidos. ¿Por qué no se actúa con transparencia?: La legislación vigente prevé fórmulas para remunerar este tipo de trabajos. Por ejemplo, uno muy sencillo, sería pagar las correspondientes horas extras.

Otro. Todavía no se vislumbra una solución en el conflicto de las ocho autopistas en riesgo de quiebra. De una u otra forma la nacionalización de sus pérdidas llegará. Bien por una decisión política que supongo que el Gobierno está revisando por impopular y escandalosa, bien porque se activen una de las garantías contractuales, la Responsabilidad Patrimonial de la Administración que puede ascender —para el Estado, es decir, para todos— a una cantidad superior a los 5.000 millones de euros. Estamos ante un ejemplo más de mala administración y supervisión que —también— tiene su origen en el agujero negro de la burbuja inmobiliaria. Es destacable el cinismo de los habituales defensores de la economía de mercado, del control del déficit público que, en este caso, no tienen ningún tipo de escrúpulos en solicitar la intervención del Estado y su responsabilidad ante los miles de millones de pérdidas. El viejo discurso de privatizar las ganancias y nacionalizar las pérdidas de nuestro «capitalismo de amiguetes».

Y otro. Lo de Bárcenas es un pozo sin fondo… Ahora se pierden unos papeles, ahora le dan permiso para irse a esquiar. Se ha escrito mucho sobre todos estos episodios y todavía más sobre quiénes recibieron sus sobres y cuánto dinero contenían. De lo que se habla poco y escribe menos es de quién facilitaba el dinero que se introducía en los sobres y a cambio de qué: trans-pa-ren-cia.

Se reducirá la corrupción si reducimos la discrecionalidad del poder. Y en este proceso la transparencia es clave. Durante años, tanto los Gobiernos del PSOE como los del PP, han ido eliminando normas desarrolladas por el Derecho Administrativo para proteger el interés general y dificultar la actividad de políticos sin escrúpulos. Y, en ocasiones, el argumento para acabar con ellas ha sido que se trataba de «leyes franquistas», o que no hay más y mejor control que el de las urnas…

Y, ojo, porque más transparencia no es más burocracia. Vayamos a hacer un pan con unas tortas… La razón de ser de las comunidades autónomas, se decía, era acercar el gobierno al ciudadano y librarse de los males de un centralismo excesivo y lejano. Pero, en muchos casos, la situación actual está suponiendo un «centralismo autonómico» con una alta concentración de poder y escasas posibilidades de fiscalización.

Sin transparencia no hay democracia. Lo que nos está pasando, en España, es por falta de transparencia. Ser transparente no es publicar datos. Y no se es más transparente por publicar más datos. No es un tema de cantidad sino de calidad, de formas de hacer, de políticas. España necesita un cambio de políticas. Y no nos engañemos: no es sólo un cambio de caras. Eso sería maquillaje, postureo: intento de parecer algo que no se es.

Más allá de que se puedan (y deban) aplicar medidas técnicas y políticas, la superación de esta situación se logrará gracias a decisiones esencialmente éticas. La credibilidad ha pasado a ser uno de los aspectos fundamentales de la relación del individuo con la sociedad. Se trata, en definitiva, de la confianza que tiene el ser humano en sus semejantes e instituciones con quienes se relaciona. No se trata del aspecto formal de estas relaciones, que pueden estar reguladas por leyes o por acuerdos privados entre las partes, sino de la convicción íntima de las personas que sus derechos serán respetados y que los compromisos adquiridos se van a cumplir. La importancia de la credibilidad es mucha.

Casi siempre que hablamos de transparencia nos referimos a asuntos actuales de carácter político o económico, o a la falta de transparencia de los otros... Rara vez a nuestras actividades cotidianas. Ser transparente es ser una persona en quien se pueda confiar. Luchar por vivir sin dobleces, sin justificar nuestras acciones cuando sean malas. Al pan, pan, al vino, vino... Ésta es la transparencia de todos los días, la cotidiana, la que debemos cuidar prioritariamente porque con nuestras pequeñas acciones contribuimos —o no— a generar una cultura de confianza, de respeto a los demás.

XV

Elogio de la prensa escrita

16 de mayo del 2015

Aquellos generales romanos que atravesaban triunfantes la Vía Sacra, en dirección al Capitolio, en una cuadriga con bellos caballos engalanados. Empachados de aplausos, con el enemigo subyugado, y la cabeza ceñida por una corona de laureles, aparecían arrogantes, impresionantes con sus armaduras de plata brillando bajo el impacto de los rayos del sol.

En el camino, la plebe, siempre voluble, aullaba de entusiasmo, mientras a su espalda el esclavo que sujetaba la corona de laurel le musitaba sin cesar al oído «Cave ne cadas» (cuida de no caer), no te confundas: todo poder es efímero y toda gloria pasajera. Estos hombres que hoy te veneran, mañana, pedirán tu cabeza.

Desde muy joven tengo la costumbre de guardar páginas de periódicos, noticias, artículos, reportajes, entrevistas interesantes. Dicen los que saben de esto que las tres cosas que más estrés producen en la vida son el cambio de trabajo, el divorcio y una mudanza. Pues yo, como consecuencia de lo tercero, motivado por lo primero, he estado a punto de experimentar lo segundo por mi insistencia en conservar mis miles de hojas de periódico en cada una de las once mudanzas que he sufrido en los últimos veinticinco años.

Últimamente se está produciendo una apropiación escandalosa de la figura de Adolfo Suárez, precisamente, por quienes fueron algunos de sus más implacables detractores. Hubo una época en que Adolfo Suárez era tratado como un apestado. La derecha le acusaba de traidor y la izquierda le tildaba de franquista. No deja de asombrarme cómo un político tan denostado y repudiado es visto, ahora, como una especie de santo; que le ensalcen quienes, hasta hace no tantos años, propiciaron su descrédito. Sin ninguna vergüenza los mismos que, ayer, se negaron a reconocerle —ni tan siquiera— con una calle en las ciudades en que tenían poder político para hacerlo, hoy, participan como plañideras en homenajes de todo tipo.

Se acaba de cumplir un año del asesinato de la Presidenta del Partido Popular de León y Presidenta de su Diputación, Dña. Isabel Carrasco. La mujer más poderosa —y temida por propios y extraños— de la política leonesa durante años. Dueña de vidas y haciendas. Ahora son legión quienes se autoproclaman víctimas de su mal carácter y de su mano de hierro, de su autoritarismo. Hace unos días uno de ellos dijo que la época de Isabel Carrasco tuvo sus cosas buenas y otras no tan buenas... Quien ha hecho estas declaraciones es uno de los que —en vida— la adulaba hasta la asfixia y le debe toda su carrera política. Su afirmación le define.

Otro caso singular es el del sucesor de la Sra. Carrasco al frente de la Diputación de León, D. Marcos Martínez Barazón que pasó de rey a villano a la velocidad de la luz...Muchos han perdido la vergüenza, el sentido del ridículo o piensan que los demás somos tontos. Es increíble la gente que, sin ningún tipo de rubor, hoy repite aquello de «ya lo dije yo», «yo lo sabía pero no podía», «nunca me gustó»... Y digo sin rubor porque, gracias a la prensa escrita, ahí están las fotos de las múltiples ocasiones en que algunos de estos «conversos» rendían pleitesía al ahora caído en desgracia.

Y para muestra, dos episodios. Unos días antes de que este señor sucumbiera (políticamente), se celebró la ceremonia institucional de la Diputación en la Feria de los Productos de León. A la entrada de la plaza de Toros hubo momentos donde la fila llegaba a la puerta grande. Para saludarle, reiterar lealtades, hacerse notar, lograr un apretón de manos y, los más afortunados, un abrazo apretado. Hay fotos, muchas fotos.

O la víspera de su púnica detención, en el besamanos previo a la comida que un grupo de notables de la zona tuvieron con él en el Hostal de San Marcos. A algunos, me consta, no les dio tiempo a enmarcar y exhibir la foto en su despacho profesional, pero si de compartirlas en las redes sociales. A otros sí. Y, tan pronto, como se supo la noticia, corrieron a cambiar la foto. No hay nada tan reciclable como un portarretratos. Y nada más rápido que eliminar las fotos de las redes sociales que quedan en ese limbo cibernético que llaman «nube», único que nos queda después de que el Papa emérito nos dijera que ya no existe el de siempre.

Y, en ese limbo, amparado en el derecho al olvido, uno encuentra con dificultad. Pero, afortunadamente, del Diario de León no pueden eliminarse las páginas de sus miles de ejemplares, con fotos tan claras, tan expresivas, tan elocuentes sobre quién-es-quién y, sobre todo, con quién está uno o, perdón, mejor dicho, estaba... Por todo ello hago un reconocimiento a la prensa escrita y, muy especialmente, a Diario de León, como baluarte de la verdadera memoria.

XVI

«¿Dónde está mi dinero...?»

16 de agosto del 2015

La recuperación económica ha permitido un aumento en el número de afiliados de la Seguridad Social. Actualmente hay más cotizantes que cuando el Partido Popular llegó al Gobierno, a finales del 2011; sin embargo, se recauda menos que entonces. ¿Por qué? Porque la gran mayoría de los nuevos afiliados son trabajadores a tiempo parcial que, lógicamente, pagan menos cotizaciones sociales. Si esto se mantiene en el tiempo (y parece que así va a ser) no hay que ser un Premio Nobel de Economía para concluir que las pensiones futuras serán menores.

Además, el sistema público de previsión tendrá que afrontar nuevos desafíos como el envejecimiento progresivo de la población, el aumento de la pensión media como consecuencia de que la mayoría de los nuevos jubilados han cotizado, de media, más que los actuales, o los generados por las propias decisiones del Gobierno como el recientemente anunciado complemento a las pensiones de las madres trabajadoras. En los años en que se celebran elecciones parece como si se perdiera la cordura o la racionalidad, al menos, en cuestiones de economía. Sólo así es posible entender la medida que acabo de mencionar, o que se devuelvan las pagas extras a los funcionarios, o que no se informe a cada español de su pensión estimada futura, como estaba aprobado y anunciado.

Las previsiones demográficas son las que son. Las proyecciones del Instituto Nacional de Estadística muestran que el número de defunciones superarán, por primera vez, al de nacimientos a partir de este año, un fenómeno que se acentuará de forma exponencial. En los próximos quince años, España perderá un millón de habitantes y unos seis millones en los próximos cincuenta años. Si no hay cambios, en 2060, los mayores de 65 años serán el 30% de la población frente al 18% de la actualidad. Si ahora cada persona en edad de trabajar paga un cuarto de pensión, en pocos años se duplicará y pagará media pensión o, según estos datos, incluso más.

No ha sido suficiente para cambiar la tendencia ampliar el periodo exigido para calcular la cuantía de la pensión, el retraso gradual de la edad de jubilación o la desvinculación de las pensiones de la evolución de la inflación. Está por verse el impacto del recorte más profundo en las nuevas pensiones, que entrará en vigor en 2019. Entonces, la Seguridad Social, fijará la primera renta mensual del jubilado de acuerdo con la esperanza de vida de la generación del trabajador que se retira. Esta es la medida que se conoce técnicamente como el factor de sostenibilidad. Y también habrá que esperar a si, finalmente, se reforma el régimen de las pensiones no contributivas: si las cotizaciones financian sólo las pensiones contributivas —que sostienen las empresas y los trabajadores— es más fácil que la Seguridad Social tenga un balance equilibrado. Por tanto, una opinión cada vez más compartida es que estas pensiones tendrían que ser más selectivas y pagarse con impuestos, no con cotizaciones sociales.

Hasta ahora la pensión pública permite mantener un nivel de vida similar al que se tenía al trabajar. Esto ya no será posible. Es un cambio económico, pero, sobre todo, sociológico y cultural, de paradigma. ¿Por qué no explicar con claridad que, ante esta realidad, si la población cada vez es menor y más envejecida el sistema actual de pensiones, basado en que los que trabajan deben pagar las pensiones de los jubilados, no funcionará en los mismos términos que hasta ahora?

Pagar las pensiones y la sanidad será el gran tema político y económico de los próximos años, considerando que, cada vez, los gastos por esos conceptos aumentan a mayor velocidad que los ingresos. Advertir es una cuestión de transparencia y de honradez y, no hacerlo, es ocultar la realidad. La información «a medias» es como en el caso de las mentiras «a medias», que no dejan de ser mentiras; en este caso, desinformación.

Desde hace años, unos y otros, dan una información sesgada (en el mejor de los casos) y se van pasando la patata caliente. Hasta ahora esto ha sido posible porque han recurrido —y con una frecuencia cada vez más alarmante— al Fondo de Reserva de la Seguridad Social, también conocido como *hucha de las pensiones*, que podría agotarse, dentro del escenario más pesimista, en un plazo de sólo cinco años, en 2020. Así se desprende de un reciente estudio a partir del análisis de los registros de la Seguridad Social, el Banco de España y las proyecciones de población para el periodo 2012-2052 del Instituto Nacional de Estadística. Otro escenario más neutro sitúa el consumo total del fondo en 2024 y, el más optimista, en 2028. Pero cuando este Fondo se agote (que esperemos que, por el bien de todos, sea más tarde que pronto) muchos ciudadanos nos encontraremos en la dramática —e injusta— situación que tras una vida de trabajo y de puntual pago de las correspondientes cotizaciones sociales, recibiremos —si la recibimos— una pensión mucho menor de la esperada y algunos, con razón, se preguntarán «¿dónde está mi dinero?».

XVII

A favor de la buena educación

20 de agosto del 2015

En estas fechas veraniegas en las que los más pequeños de la casa disfrutan de sus vacaciones son muchas las actividades y espectáculos que se organizan en diferentes escenarios. Junto a ellos están sus padres o familiares que hacen todo lo posible para que los niños disfruten de su tiempo libre. Con ello, a veces, la tan maltratada cultura se ve favorecida, así como todos los profesionales que viven en torno a ella. Hasta aquí todo perfecto...

Lo que ya no lo es tanto es la manera que tienen algunos adultos de comportarse en el interior del teatro, cine o sala de espectáculo. El pago de una entrada no da derecho a retomar en cualquier momento la conversación interrumpida en la calle. Tampoco a deslumbrar a los espectadores cercanos con la luz del móvil mientras se wasapea o se consultan las últimas entradas de su red social. Mucho menos a molestar continuamente con el sonido de todo tipo de golosinas y chucherías (frutos secos, patatas...) que traen en su bolsillo. Hay quien no se corta un pelo y al sonar su ruidoso, salsero y prolongado tono del móvil no duda en atender la llamada como si tal cosa, para que todos escuchemos sus intimidades.

La cultura y la buena educación son bienes que se transmiten a través del ejemplo, de enseñar a los niños el respeto por las personas que están encima del escenario, o atendiendo. Es cierto que los niños son espontáneos y se comportan con naturalidad, pero puede transmitírseles, sólo con pequeños gestos, una respetuosa forma de comportarse. Más de un adulto debería darse cuenta del mal ejemplo que puede estar produciendo dando a entender que si se hacen ciertas cosas, todas ellas están permitidas.

Con las nuevas tecnologías estamos ganando muchas posibilidades, pero, atención, que si no espabilamos podemos estar perdiendo otras igualmente valiosas como, por ejemplo, la riqueza de una conversación cara a cara, del trato personal. Hace unas semanas, repentinamente, cerró el Café Comercial de Madrid. Uno de mis preferidos para leer y escribir, pero, sobre todo, para conversar. Aproveché cualquier excusa para ir o quedar allí, en la Glorieta de Bilbao. Cierro los ojos y recuerdo el ruido de las cucharillas y el olor a «café-café»... y, muy especialmente, las muchas conversaciones que allí disfruté.

Cada día es más difícil entablar una conversación de manera pausada, larga, y sin interrupciones de sonidos impertinentes; conversar con amigos de una manera distendida y como toda la vida, cara a cara... Parece que el móvil siempre está al acecho para romper cualquier conversación o cualquier silencio. Es tal la voracidad, la sumisión y la dependencia de los móviles (y el negocio que han creado), que la generación actual y la gran mayoría de todos nosotros somos dependientes de este aparato que suena y no deja de sonar, y de condicionar nuestras vidas.

Cuando no es el sonido del wasap es el sms o una llamada. Cuando no es el jefe para darnos algún trabajillo o recordatorio, es la mujer o el marido para saber dónde estás y qué haces; o el hijo o la hija para que les llevemos a algún sitio o para avisar que no vendrán a cenar. Cuando no es otra compañía para ofrecerte un cambio, o el mensaje de la propia diciéndote que la factura acaba de salir y que pronto te la descontarán de la cuenta bancaria; o el compañero que te manda ese vídeo gracioso que quiere compartir contigo.

Vamos a una sociedad de relación móvil, de compartir y hablar por este aparatito que, no lo olvidemos, esconde muchos de nuestros secretos, que dice de nosotros qué es lo que nos gusta o no, a qué hora nos conectamos, por dónde vamos y qué vemos, oímos o leemos, y a quiénes llamamos. Tomemos conciencia y utilicémoslo con sensatez.

XVIII

No es lo que parece

7 de septiembre del 2015

Estoy leyendo «En la orilla» de Rafael Chirbes que acaba de fallecer, y dedicó buena parte de sus obras a retratar las corruptelas de nuestro tiempo. Particularmente, en esta novela, su autor refleja el desorden económico, social y político generado por la cultura del pelotazo urbanístico. Bien, pues a lo que iba: en un momento de su historia cuenta como Esteban, su personaje principal, ve la televisión mientras come un «cóctel exótico» de frutos secos que ha comprado en una gran superficie: imagina que está degustando lo mejor de América Latina, África y el Oriente y cuando comienza a leer la letra pequeña de la etiqueta, para su sorpresa, descubre que el origen de la materia prima es «diverso; y, tras varias reflexiones, se pregunta en qué lugares habrán rebotado estos frutos secos antes de llegar al saquito de plástico… No es lo que parece.

Jóvenes muchachos, recién graduados, con ganas de hacer cosas, que dan sus primeros e inocentes pasos en el mundo de los negocios. Así se suelen presentar, y, realmente, no es eso. Bajo denominaciones como «economía colaborativa», «start up» o «fintech» —entre otras— se esconden sustanciosos negocios de miles de millones de dólares, de compañías a nivel global, habitualmente, con domicilio fiscal en un «paraíso» (qué denominación más injusta): lo que quiere decir que eso de que «Hacienda somos todos» parece que no va con ellos. Se suelen aprovechar del vacío normativo que suele existir para este tipo de actividades. Por ejemplo, los particulares que ofrecen sus productos y servicios a través de plataformas digitales que no pagan por sus licencias fiscales, no pagan IVA ni suelen declarar los ingresos obtenidos por este tipo de operaciones.

Es muy cuestionable que este tipo de economía sea realmente beneficiosa; me refiero para el común de los mortales, porque, para sus protagonistas, me queda claro que está siendo muuuuy beneficiosa. Y a ejemplos conocidos me remito: alquileres vacacionales, intercambio de música y películas, compartir el coche durante un viaje…Internet ha facilitado que se promocionen este tipo de plataformas que ponen en contacto a personas que ofrecen y demandan productos o servicios… a cambio de dinero. ¿Nuevos modelos de negocio? ¿Apoyo al desarrollo de nuevos e innovadores servicios con el objetivo de incrementar la transparencia y capacidad de elección y reducir los costes para los consumidores? ¿O simplemente un «negociete» más, pero revestido de modernidad…? Y así también ocurre con el «crowdfunding»: una cosa es el micromecenazgo a favor de buenas causas y otra —nada que ver— el intercambio de casas, de conocimiento, de objetos usados, de servicios, todo ello, a cambio de dinero.

Y no sólo en la economía, también en otros ámbitos de la vida. Impostores, gente que finge o engaña con apariencia de verdad. Como en la novela de Javier Cercas sobre Enric Marco, un nonagenario barcelonés que se hizo pasar por superviviente de los campos nazis y que fue desenmascarado en mayo de 2005, después de presidir durante tres años la asociación española de los supervivientes, pronunciar centenares de conferencias, conceder decenas de entrevistas, recibir importantes distinciones y conmover, en algún caso hasta las lágrimas, a los parlamentarios españoles reunidos para rendir homenaje, por vez primera, a los republicanos deportados por el III Reich. El caso dio la vuelta al mundo y convirtió a Marco en el gran impostor de los últimos años.

Y también en la política. Como está sucediendo con algunos de estos jóvenes profesores universitarios, de imagen personal desaliñada, con ropa de hipermercado, como uno-de-lo-nuestros suele considerarlos mucha gente. Pero, detrás de esa imagen de inocentes jóvenes mileuristas nos estamos encontrando con asesores políticos, «de colmillo», a nivel internacional que reciben honorarios, con muchos ceros, de fundaciones, gobiernos y televisiones por sus colaboraciones. Socios de organizaciones mercantiles con objetos sociales variopintos. Asesores monetarios del gobierno de Venezuela, o colaboradores de la televisión de Irán... Esto es más de lo mismo. Vamos que tampoco es lo que parecía, que también son casta, con otra presentación —en versión acrílica— pero casta al fin.

XIX

La ilusión es más poderosa que el miedo

30 de octubre del 2015

Hace unas semanas estaba pensando y escribiendo sobre los primeros cien días de trabajo de Ciudadanos en las instituciones cuando se celebraron las elecciones catalanas con la agradable sorpresa del resultado de Ciudadanos y de su candidata. Este acontecimiento ha confirmado muchas de mis opiniones sobre este proyecto político y sobre el «denominador común» de algunos de sus dirigentes como Albert Rivera, Inés Arrimadas, o de Gemma Villarroel que, en mi opinión, es quien mejor representa, en León, los principios y valores de Ciudadanos.

Ciudadanos ha abierto a los desencantados del PP y del PSOE una opción digna entre la abstención y el voto con la nariz tapada. Dan respuestas convincentes a una opinión pública escéptica sobre la renovación de los partidos tradicionales, y predispuesta a escuchar con agrado los nuevos mensajes. Consiguen, con naturalidad, romper la imagen del político distante y tecnocrático, buscando la empatía con su auditorio mediante un lenguaje comprensible. Un lenguaje más fresco del que la rutina política ha terminado imponiendo. Ofrecen un perfil amable, cercano y moderno. Un modelo muy atractivo para muchos electores.

Pero ofrecen mucho más que sonreír y mostrar buenas maneras. Traen nuevos horizontes a la vida pública española. Un mensaje transversal. Reactivar y refrescar los valores constitucionales.

A favor del consenso y del diálogo. Un país donde la unidad de España sea un valor. Un país donde se reforme sin romper las reglas del juego. Una superación del sentimiento de revancha rupturista que provoca cierto rechazo de las clases medias, mayoritariamente moderadas. A la mayoría de los electores les sobran las posiciones irrenunciables y los partidismos exagerados.

Saben capitalizar el descontento mayoritario no repartiendo odio, inquina o revanchismo, sino esgrimiendo esa arma poderosísima que es el sentido común. Han planteado objetivos ambiciosos y forzado a los partidos tradicionales a realizar cambios que, hasta hace poco, eran impensables. La regeneración de nuestra democracia es imprescindible para superar la crisis política, económica y social, y para devolver a los ciudadanos el control sobre la política. Y estas reformas no las van a llevar a cabo los que quieren que todo siga igual, los que han tolerado las actividades de bandas organizadas de corrupción.

Me llama, positivamente, la atención que no ofrecen un partido político sino un proyecto para España, Cataluña, para León… Ciudadanos es sólo un instrumento jurídico adecuado para poder ser una palanca de cambio, para que las cosas mejoren. Uno de los ejes que vertebra su discurso es la democracia interna y la transparencia en la gestión de las administraciones. Ofrecen un discurso responsable capaz de generar confianzas. Un proyecto para levantar España y recuperar la confianza de los ciudadanos, sin gritar, sin mentir y sin prometer quimeras. Prometer resulta gratis sobre todo cuando no se tiene ninguna posibilidad de gobernar.

Mejorar el funcionamiento y la eficiencia de la política requiere actitudes más constructivas y favorables a la cultura del pacto. Facilitar la gobernabilidad es una muestra de responsabilidad. España no puede permitirse que no haya gobiernos estables, pero tampoco que se gobierne de la misma manera. Cuando ninguna fuerza política obtiene el suficiente número de votos los pactos no es que sean inevitables es que son deseables para lograr un funcionamiento razonable de las instituciones. Eso sí, los pactos no como trapicheo sino como una oportunidad para regenerar la democracia. La cuestión no es con quién llegas a acuerdos sino para qué. Además, permitir el gobierno de un competidor requiere de magnanimidad, y de seguridad en sí mismo. Esta magnanimidad es, precisamente, la que necesita la política española.

En definitiva, un cambio profundo, pero sobre todo, un cambio sensato. Un proyecto para España movido por la esperanza, sin enfados, venganzas, ni acritudes: la ilusión es más poderosa que el miedo. Ciudadanos se ha consolidado como una alternativa fiable, de confianza. Sus propuestas están llenas de sentido común, al menos, durante estos primeros cien días.

XX

El expolio de Caja España

15 de abril del 2016

Las cajas de ahorros más antiguas se crearon hace unos trescientos años como instituciones sin ánimo de lucro, cercanas a las personas y con una clara función y responsabilidad social. Supusieron una fuerte competencia para los bancos ya que controlaron más del 50% del mercado: durante muchos años no hubo ningún banco que fuera líder en ninguna provincia. Se vieron afectadas por los cambios impulsados por los ideólogos de la desregularización que, en Estados Unidos, lograron la derogación de la ley Glass-Steagall que desde 1930 a 1999 separó las actividades de la banca comercial y de la banca de inversiones, y limitaba su ámbito territorial de actuación. En España este cambio internacional de regulación coincidió con el desarrollo normativo de las Comunidades Autónomas y, a la flexibilización de su estatus jurídico, se añadió la politización de sus órganos de gobierno. A diferencia de otras crisis sufridas por el sistema financiero español, en la del 2007, la reacción fue demasiado lenta, entre otras razones, por la resistencia de las Comunidades Autónomas (¿se acuerdan de nuestro todopoderoso Villanueva...?) y por la falta de coordinación con el Banco de España.

A partir del 2010 se inicia un proceso acelerado de «transformación» con graves errores como la salida a Bolsa de entidades en estado de insolvencia, una maraña de artificios legales y contables y, siempre, un déficit de información clara a inversores, depositantes y ciudadanos. Como consecuencia de las reclamaciones de miles de damnificados hemos ido conociendo escandalosos casos de nepotismo en las contrataciones de personas, bienes y servicios que, aun siendo legales, repugnan a los principios éticos de la mayoría de los ciudadanos. Cuesta creer que nadie se diera cuenta de lo que estaba sucediendo y uno se pregunta por qué nadie protestaba o pedía cuentas... salvo que los responsables de hacerlo estuvieran logrando algo a cambio. Como muestra para ilustrar estos nuevos episodios de «Capitalismo de amiguetes» es muy recomendable la lectura de los conocidos como correos de Blesa.

El endeudamiento provocado por este expolio hipoteca nuestro futuro y el de varias generaciones de españoles, por muchos años. Y tanta fusión y concentración, en mi opinión, supone una situación próxima al oligopolio, y un mayor riesgo sistémico. El tiempo lo dirá. Desde luego está quedando claro que la desaparición de las cajas de ahorro está suponiendo un fabuloso negocio para algunos: donde antes había más de cincuenta entidades ahora quedan unas diez. Menos comensales para un mismo —y suculento— pastel. Quizá una de las consecuencias más injustas de la desaparición de las cajas sea el impacto negativo —desatención, incluso riesgo de exclusión del sistema bancario— que va a tener en los ciudadanos de las zonas rurales, en los pequeños empresarios, en los pensionistas, sobre todo en Castilla y León. Se acabaron las ventajas de tener —como teníamos con nuestras cajas de ahorro— un sistema financiero propio.

La común —e interesada— posición de los políticos de los grandes partidos es que las cajas de ahorros no han desaparecido, sino que se han transformado... Suma y sigue con la perversión del lenguaje. Las cajas de ahorros no tenían accionistas, no repartían dividendo, y sus beneficios (miles de millones de euros) se invertían en interés social de la comunidad a la que servían. Me cuesta creer que los dueños de los actuales bancos en que se han «transformado» las cajas de ahorros vayan a ser igual de generosos. Ya nos han avisado de que la «nueva situación» les obliga a reconsiderar muchos de los compromisos adquiridos que, eso, traducido del leguaje cortesano al popular, quiere decir que se acabaron los apoyos, hasta ahora conocidos, a los discapacitados, a tantas asociaciones, al deporte base, al mundo rural, a la universidad... Y, como muestra, un botón. Hace meses fue noticia —a cuatro columnas— que Bankia destinó 2 millones de euros para diversos proyectos sociales en las nueve provincias de Castilla y León. Lo que no se decía, para que los castellanos y leoneses tuviéramos un punto de comparación, es que, hasta antes del expolio, la inversión de las seis cajas de ahorro de nuestra comunidad autónoma llegó a superar los cien millones de euros anuales.

El penúltimo episodio de esta triste historia es el anuncio del despido de 1.120 personas en Caja España, casi un tercio de la plantilla (ya disminuida considerablemente por otros recientes ajustes). Desde que la-caja-dejó-de-ser-la-caja los intereses son otros. Ahora se trata de prepararse para salir a la Bolsa. Y para vender más acciones —y a mejor precio— hay que dar a los «mercados» las señales de costumbre: que cada día tenemos más ingresos y menos gastos. Lejos quedan los fines fundacionales, el ganar dinero para mejorar la calidad de vida de los leoneses, que en cada pueblo hubiera una oficina para ofrecer un mejor servicio a nuestra gente, etc.

En tiempos de crisis siempre se ha despedido a gente, también en Caja España: pero de otra manera, como último recurso, entre otras razones, porque quienes tomaban la decisión conocían a sus trabajadores, sabían de su situación personal y familiar, eran paisanos. Ahora quienes toman la decisión son personajes «globales» que vivirán en Málaga o en Madrid y para quienes, probablemente, su principal motivación es que se den los «números» para que así puedan lograr su bono, un bono de muchos ceros.

En fin, lo dicho, un auténtico expolio. Nos están privando —con injusticia grande— de algo que teníamos y gozábamos, nuestra caja de ahorros. Y, mientras tanto, los políticos del PP, PSOE e IU —corresponsables de esta situación— escenificando su indignación. Qué asco.

Quejicas

20 de mayo del 2015

España se queja sin pausa. Pienso que ningún país en el mundo nos iguala en el per cápita de dicho producto. Un rabioso coro de agresivos lamentos se oye los trescientos sesenta y cinco días del año durante las veinticuatro horas del día. Se quejan los empleados públicos, los mineros, los profesores, los estudiantes, los ganaderos, los artistas, los agricultores… ¿Me falta alguien? Nuevos quejicosos («que se queja demasiado, y la mayoría de las veces sin causa» nos recuerda el diccionario) aparecen, cada día, haciendo difícil mantener actualizada la lista.

Los elementos psicológicos asociados a nuestra proclividad a la queja se encadenan circularmente, dando lugar al siguiente ciclo: insatisfacción malhumorada convertida en queja, queja devenida en protesta ruidosa, protesta traducida en limosneo a «papá Estado», limosneo manifestado en movilizaciones, movilizaciones dando lugar a soluciones, soluciones causando malhumorada insatisfacción por no ser suficientes, dicha insuficiencia lleva enseguida a una nueva queja, ésta a una nueva protesta, la cual inspira una nueva exigencia que se hace carne en una nueva movilización que produce un nuevo arreglo que termina en una nueva insatisfacción que da lugar a una nueva queja que…

Nuestra sociedad, tan rica en quejicas, es entonces una sociedad rica en resentidos, esto es, en subordinados o empleados que no toleran serlo, pero, al mismo tiempo, son incapaces de dejar de serlo. Atrapado en esa pasividad que le impide abandonar su condición, el protestón medio suple su falta de energía para emprender algo por su cuenta y así mejorar su situación con un despliegue rabioso y de corto aliento para exigir que las cosas se emprendan por cuenta de terceros. «Alguien» debe financiarnos los estudios, alguien debe asegurarnos nuestros cultivos, alguien debe protegernos de la competencia, alguien debe garantizar nuestros puestos de trabajo, alguien debe subsidiar nuestros productos, y asegurar nuestro modo de vida. Ese «alguien» es el Estado, ese «alguien» somos los demás.

¿Qué sucedería si, por arte de magia, estos individuos dedicaran la misma cantidad de energía que gastan en la queja a hacer mejor su trabajo, hallar medios de colaborar con los demás, de aunar esfuerzos? Esto es, sencillamente, lo que ocurre en otras sociedades que, «casualmente» son las más prósperas. El fulano descontento con su vida y su suerte no pierde mucho tiempo en quejarse (por cierto, está muy mal visto) sino más bien busca modos de emprender algo nuevo en lo que le vaya mejor. Confía en su capacidad personal y no asume que deba ser ayudado a cada paso, como si fuera un inválido. En fin, esto es lo que hay.

XXII

Mentiras sobre el «Brexit»

11 de julio del 2016

D urante los últimos meses he seguido con atención las informaciones sobre el referéndum para la salida de Gran Bretaña de la Unión Europea. Un asunto con implicaciones, muy relevantes, de carácter político, económico y social para España. Y de mi interés como profesor asociado de Derecho Internacional Público.

En los primeros días del mes de junio estaba convencido del triunfo de los partidarios del «Brexit» pues así nos lo venían diciendo las encuestas durante el último año: 65/35, 60/40, 55/45... El rango de la diferencia era tema de debate, pero no había sondeo que les diera la razón a los británicos partidarios de permanecer en la Unión Europea. El asesinato de la diputada socialista Jo Cox cambió las tornas y así lo confirmaron, también, las casas de apuestas que, a diferencia de los institutos demoscópicos, cuando realizan pronósticos no sólo se juegan su prestigio sino, también, su dinero.

El 23 de junio me fui a dormir pasadas las once de la noche, cuando los medios daban por hecho que Gran Bretaña permanecería en la Unión Europea, cuando Nigel Farage, líder del Partido de la Independencia, comenzaba a reconocer su derrota. A la mañana siguiente, la radio me sorprendía con la noticia que, durante la madrugada, se produjo el «sorpasso» y que el «Brexit» triunfó por 52 a 48… Desde entonces vivimos en un tsunami de opiniones habladas y escritas que, en muchas ocasiones, no es que no estén bien fundamentadas, sino que, sencillamente, son mentira.

Por ejemplo, no es cierto que este referéndum haya sido una iniciativa de «populistas». Eso es no es verdad. El político responsable de la convocatoria de este referéndum es David Cameron, del Partido Conservador, miembro del Grupo del Partido Popular Europeo. El equivalente, en nuestro arco parlamentario, a Mariano Rajoy. Y se comprometió a convocarlo, durante la última campaña electoral, para intentar zanjar una cuestión que permanece viva en la sociedad británica, y muy especialmente entre los conservadores, desde el minuto uno de su incorporación a la Unión Europea, en 1973. Los británicos siempre han visto el proyecto político de «más Europa» como una amenaza a su sistema político, social y económico. Se incorporaron a la Comunidad Económica Europea, básicamente, por las ventajas que suponía para sus empresas, pero, en la medida en que el proyecto de unión europea de desarrollaba y concretaba en otras políticas, más allá de las económicas, el sentimiento de «euroescepticismo» volvía a reavivarse y a manifestarse en forma de protestas, vetos, reservas, y amenazas varias.

Con el término «populismo», a veces, se pretende etiquetar, descalificar, propuestas políticas que son razonables, aunque, eso sí, contrarias a los intereses del «establishment». Además, en este caso, nos guste o no, el resultado cuenta con la inatacable legitimidad democrática que le otorga un 73% de participación ciudadana.

Otra. Ahora los europeístas británicos están promoviendo, en Escocia, otro referéndum pro independencia. El segundo en un año. En España, entre quienes lo aplauden y jalean se encuentran personajes que, sin ningún rubor, defienden una cosa y su contraria... Me explico. No es razonable —ni justo— desplegar un abanico de argumentos políticos, jurídicos, sociales a favor del derecho a decidir de los escoceses y, simultáneamente, negárselos a los independentistas catalanes.

Por último. Perplejo escucho y leo las ocurrencias de una caterva de opinantes que me abruman con sus certezas sobre el día después, sobre lo que viene a partir de ahora. Mentira. Nadie lo sabe. La única previsión es el ya famoso artículo 50 del Tratado de la Unión, y poco más. La Unión Europea tiene regulado, hasta el más mínimo detalle, el procedimiento de ingreso porque, durante los últimos sesenta años sólo se han producido solicitudes de entrada, nunca, hasta ahora, de salida. Por tanto, el proceso de salida de Gran Bretaña de la Unión Europea, su calendario, los próximos pasos son una incógnita, sencillamente, porque nos encontramos ante la primera vez que un país miembro decide abandonarla. Y corresponderá a sus instituciones definir el cómo y el cuándo.

El «Brexit» desata el pánico. En España, entre otras razones, porque un tercio de los activos internacionales de nuestros bancos están en el Reino Unido. O porque, muy probablemente, tendremos que aumentar nuestra contribución al presupuesto comunitario, en unos 900 millones de euros...En general, el pánico también tiene que ver con el riesgo de contagio. Porque más allá del temor a perder su libra, yardas y grados fahrenheit, los motivos de fondo que han llevado a los británicos a votar su salida, son razones políticas, con fundamento, y perfectamente

extrapolables a otros países de Europa. Más allá de simplifica-
ciones y reduccionismos los motivos de la catástrofe tienen que
ver con la pérdida del encanto inicial del proyecto para la unión
europea y un cierto hartazgo con los manejos de los burócratas
del sistema.

Lo que está claro es que nada volverá a ser como antes; pero,
eso, necesariamente, no tiene porqué ser negativo. La Unión
Europea afronta el mayor desafío de su historia. Ahora es el
tiempo de las respuestas claras e ilusionantes: hoy es siempre
todavía.

XXIII

Un país de ancianos

18 de julio del 2016

Hace unos días leí que Castilla y León pierde 64 habitantes al día, su mayor pérdida de población en décadas; y que León es la cuarta provincia de España con mayor media de edad. En esta misma línea, hace unos meses leí una noticia que llamó mi atención: en Japón, por primera vez en su historia, el año pasado, se vendieron más pañales para adultos que para bebés... En España, más temprano que tarde, viviremos una situación similar. Con nuestras actuales tasas de natalidad, dentro de medio siglo, cuatro de cada diez españoles tendrán más de 65 años.

Algunos expertos hablan de suicidio demográfico de España. No sé si será una exageración, pero, seguro, que este nuevo escenario —la combinación de envejecimiento y descenso de la población— supondrá una nueva estructura económica. Sin duda que es una buena noticia que la esperanza de vida de los españoles supere, ya, los 80 años de edad como también sucede en otras economías desarrolladas. Vamos hacia una sociedad con cada vez más jubilados, que vivirán más, y menos personas en edad de trabajar y, muchos de éstos, con contratos a tiempo parcial y contribuciones reducidas a la Seguridad Social. Y todo esto impactará de múltiples formas a nivel económico, social y presupuestario.

Perdemos población. Los datos del Instituto Nacional de Estadística marcan una tendencia común a todo el país pero que, en León, se hace más profunda que en la media nacional. Aquí, lo vemos todos los días, cada vez perdemos más población y la que queda está envejecida porque, además de caer la natalidad, los jóvenes se tienen que ir a otros lugares en busca de oportunidades de trabajo. Hace unos meses conocíamos el dato de que, en León, casi un 30% de los municipios no registran ningún nacimiento en el año y, sin embargo, casi todos, si registran vecinos fallecidos. O que los centenarios que residen en León se han duplicado en la última década. O que la provincia ha perdido más de ochenta mil habitantes durante los últimos cuarenta años. O que somos los terceros con más conductores mayores de 74 años.

España es ya uno de los países más envejecidos del mundo. Baja natalidad y aumento de la esperanza de vida aceleran el proceso de envejecimiento de la población española. Cada año nacen menos niños y se mueren menos habitantes. La población en edad de trabajar está disminuyendo y en el futuro se reducirá todavía más. A finales del siglo XIX, la expectativa de vida media era de poco más de 50 años; hoy es de más de 80. El sueño —la ilusión— de tantas generaciones de vivir hasta los 100 años, cada vez es una posibilidad al alcance de más personas. Jubilarse ya no es como la antesala de la muerte. Afortunadamente. Es decir, un menor número de trabajadores va a tener que sostener a un mayor número de jubilados. Ante este panorama surge una pregunta «incómoda» ¿quién pagará los programas de atención a dependientes, la sanidad, el gasto farmacéutico…?

Vamos camino de ser un país de ancianos. Es importante hacer visible un problema que sólo perciben quienes la ven día a día: la muerte lenta de sus pueblos. Uno de los problemas más graves (y quizás menos atendidos) de España. Situación que hubiera sido más grave de no ser por la contribución de los inmigrantes durante los últimos años. Pero, como consecuencia de la crisis económica, cada vez llegan y permanecen menos inmigrantes en nuestro país. Esta situación es una «bomba de tiempo» que, si no se pone remedio, acabará explotando en forma de un insostenible gasto en sanidad, en servicios sociales y en pensiones. El desequilibrio demográfico obligará a cambios drásticos en el modelo de sociedad. Estamos condenando a la inviabilidad al modelo social que nosotros hemos heredado. Recuperar el crecimiento demográfico es fundamental para mantener muchas de las prestaciones de nuestro actual modelo económico y social.

El problema de la natalidad es acuciante y su resolución poco tiene que ver con factores ideológicos o partidistas, sino con una concepción responsable del futuro. La familia no es un asunto «estrictamente» privado. La negativa de muchas familias a tener hijos hace tambalear los fundamentos de nuestro Estado del Bienestar. Por tanto, urge impulsar las políticas de apoyo a la familia con incentivos económicos y con medidas que favorezcan —realmente— la tan proclamada conciliación laboral. El derrumbe de nuestra pirámide poblacional es el derrumbe de nuestro modelo de sociedad. Aquí está la gravedad y la urgencia.

La crisis económica —y la inestabilidad social— ha retrasado y desincentivado la maternidad. Muchas mujeres la retrasan a la espera de mejores condiciones que, a veces, nunca llegan y, si llegan, es a una edad tardía para tener y educar a un hijo. Para muchas mujeres supone una tensión entre el reloj biológico y la coyuntura económica. Las buenas prácticas de algunos países como, por ejemplo, algunos del norte de Europa, señalan que se puede revertir la tendencia incidiendo sobre las condiciones que favorecen y protegen la maternidad: permisos a compartir entre ambos padres, guarderías asequibles y reducción de la jornada laboral por crianza, entre otras, son algunas de las medidas que han demostrado ser eficaces.

O los incentivos para favorecer el asentamiento de nuevos habitantes en el mundo rural. La verdad es que muchos estamos cansados de escuchar hablar de medidas que o no se concretan, o no son suficientes, o no son adecuadas o, sencillamente, «no son» porque no pasan de ser unas conclusiones de un estudio («el papel lo aguanta todo»). En fin, urge impulsar políticas orientadas a favorecer la sostenibilidad de las cuentas públicas y el mantenimiento de los pilares de nuestro Estado del Bienestar. Tomar conciencia de este problema es una cuestión de Estado. Y cuestión de Estado quiere decir que todos los partidos políticos, sin excepción, deberían ponerse de acuerdo a la hora de fijar políticas que permitan si no atajar esta sangría poblacional, al menos, cambiar la tendencia. Por el bien de todos.

XXIV

A favor de la Política

27 de julio del 2016

En España hay un empleado público por cada cinco personas ocupadas versus uno por cada quince en la Unión Europea, o uno por cada treinta y seis en Estados Unidos… En abril del 2010, varios economistas vinculados a UPyD publicaron «El coste del Estado Autonómico». El estudio demostraba que, sólo gestionando todas las Comunidades Autónomas como lo hacen las tres más eficientes, podríamos ahorrarnos 24.000 millones de euros. Entonces ¿por qué tantas resistencias a aprender de las buenas prácticas de los otros? En general, se echa de menos interés en acabar con el despilfarro y las duplicidades de las administraciones públicas; y ello porque, en muchos casos, configuran la red clientelar de los partidos políticos viejos… y nuevos.

No digo que la tarea armonizadora sea una tarea sencilla pero sí que contamos con leyes para facilitarla que los pactos con los nacionalistas tienen «neutralizadas», como, por ejemplo, el artículo 150.3 de la Constitución: «El Estado podrá dictar leyes que establezcan los principios necesarios para armonizar las disposiciones normativas de las comunidades autónomas, aun en el caso de materias atribuidas a las competencias de éstas, cuando así lo exija el interés general».

Lo que sucede es que en la raíz de todo este desaguisado están los pactos de PSOE y PP con los nacionalistas, durante los últimos treinta y cinco años, para mantenerse en el poder. Obsesionados por conseguir un arreglo con los nacionalistas, al estilo de siempre, poniéndose de acuerdo en el precio. Así, por ejemplo, nos encontramos con el sistema fiscal privilegiado de Navarra y País Vasco. Un escandaloso ejemplo sobre el injusto reparto de la riqueza disponible entre españoles: la media de recursos no financieros por habitante de las comunidades autónomas del régimen común es de, aproximadamente, 2.800 euros mientras que la media de las del régimen foral (Navarra y País Vasco) es de 4.800 euros.

Y otro ejemplo más. ¿Un hombre, un voto? Ja-ja-ja… Tengo dudas —más que razonables— de que en España se esté cumpliendo el artículo 123 de la Constitución que proclama el derecho de todos los españoles a elegir y ser elegidos en igualdad de condiciones. La Ley Electoral vigente beneficia al nacionalismo y a los grandes partidos tradicionales, además de ejercer un efecto disuasorio para cualquier osado que pretenda fundar un partido político de ámbito nacional. Así se explica que, en las elecciones generales de diciembre del 2015, Izquierda Unida obtuviera tan solo dos escaños pese a conseguir 923.105 votos mientras que el Partido Nacionalista Vasco lograra seis diputados con un tercio de los votos (301.585).

Una democracia necesita ciudadanos que la defiendan. Menos «indignación» y más ciudadanía. Desde la política se puede contribuir a cambiar aquellas cosas del mundo que se manifiestan radicalmente dañinas para el desarrollo y la dignidad de las personas. Habrá quien me diga que no es necesario militar en un partido político para hacer política. Es verdad, pero, desde el respeto a otras opciones, quiero manifestarme a favor de la acción política a través de los partidos políticos. Ni todas las ONG del mundo juntas tienen la posibilidad de cambiar las decisiones de los organismos internacionales en las que se sientan los líderes políticos del mundo. Sí, influyen, y esto es muy importante. Pero no deciden: deciden los políticos.

Hay muchas políticas por mejorar («reformar»). Somos campeones en fracaso escolar, no tenemos ni una sola universidad española entre las cien mejores del mundo. Nuestra electricidad, combustibles y comisiones bancarias están entre las más caras de la Unión Europea. La deuda pública española que se ha incrementado hasta cifras históricas, en los últimos años, se ha utilizado fundamentalmente para rescatar comunidades autónomas, ayuntamientos y cajas de ahorro desgobernadas y arruinadas por los de siempre. La corrupción es sistémica y ha acabado por contaminar a todas las instituciones del Estado: sin excepción. Por tanto, también son urgentes medidas de regeneración democrática para vincular más estrechamente a los representantes políticos con sus representados: sistema electoral con listas abiertas, elección directa de presidentes del Gobierno, de Comunidades Autónomas, de alcaldes; limitación de mandatos, e introducir incompatibilidades más rigurosas entre el ejercicio de cargos públicos y negocios privados.

La base de la ciudadanía democrática es la igualdad en libertad. Luchar contra las tiranías que pisotean la democracia formal, así como contra la miseria y la ignorancia que imposibilitan la democracia material: regenerar la democracia, reivindicar el patriotismo constitucional y defender la igualdad entre españoles. Hacer política de otra manera, respetando al adversario, escuchando, dando argumentos, tratando de convencer, dando al otro la oportunidad de convencerte. El respeto al otro está en la base de la misma democracia. En fin, una política, nueva, buena, «con mayúscula».

XXV

La vida después de los 50

10 de agosto del 2016

La edad no es sino el tiempo de vida de una persona, tan sólo una unidad de medida. Un año se va y llega otro. La vida sigue su imparable curso. El tiempo es breve. Es cierto que, a veces, la edad es algo más que el simple cómputo numérico del curso de la vida y podemos confundirla con ésta, y no es lo mismo. Desde que cumplí 50 años siento un desajuste entre el tiempo transcurrido —según el calendario— y mi tiempo vivido. Pasó demasiado rápido. Y esta sensación va, inevitablemente, unida a una cierta frustración por no haber aprovechado —mejor— el tiempo. Por ejemplo, esos «trenes» que pasaron, que pude haber tomado y no tomé... «Mística ojalatera» como la llamaba mi amigo Mariano, peligrosa tentación. Ojalá hubiera hecho esto, y lo otro y lo de más allá… Es sano romper con ese círculo vicioso, dañino por paralizante, y en vez de pensar que ahora es tarde, mejor, mucho mejor, es pensar que hoy es siempre todavía.

Experimentado, sentido, que todo puede cambiar en un instante y que nadie me puede garantizar no ser el próximo, intento vivir como si fuera mi último día, cara a Dios y cara a los hombres, porque, realmente, no sé ni el día ni la hora. Ahora, por primera vez en mi vida, estoy tomándomelo con más calma. Alcanzada la identidad familiar y profesional otras son, ahora, las prioridades. Quiero hacer, pero, con más orden, con «foco». De un cierto atolondramiento a la calma. Una cierta liberación del agobiante peso de las rutinas cotidianas. Vales lo que eres capaz de dar. El saber perder la vida por los demás. Hacer nuestros los problemas de los demás, de aquellas personas con quienes convivimos.

Lo que menos me gusta es saber que, en adelante, queda menos. Hasta hace poco siempre pensaba que todavía me quedaban otros tantos años como los que cumplía… A los 50, pensar en que todavía me quedan «otros tantos» es más una ilusión que una probabilidad. Y estas «fechas redondas» son una ocasión para reflexionar, hacer balance, y otear el horizonte…

No me gustan los que presumen de ganadores, los que van de triunfadores por la vida, porque es mentira, sólo que cuando pierden no nos enteramos. Aquí sucede como con los problemas. Hay dos tipos de personas: aquellos que tienen problemas y los cuentan y aquellos que tienen problemas y no los cuentan…

He tenido la suerte de aprender dialogando con personas interesantes. En cierto modo, las personas somos lo que leemos y lo que escuchamos. Lecturas y conversaciones son nuestros principales nutrientes. Por tanto, si leemos buenos libros y procuramos tener buenas conversaciones el resultado será una cabeza «bien amueblada». Hay otras combinaciones posibles pero la más peligrosa es cuando leemos basura y escuchamos basura, porque el resultado será una cabeza llena de… basura. Con todas las consecuencias que ello tiene en nuestra vida y, también (conviene no olvidarlo), en las vidas de las personas con quienes convivimos. Aprovechar el tiempo y elegir —con criterio— nuestros libros e interlocutores es esencial para una vida lograda. Un gran despilfarro, quizá el más importante, es desperdiciar nuestra existencia. Perder el tiempo en actualizaciones continuas de la lista de experiencias negativas de la vida es el cuento de nunca acabar. El optimismo es una interpretación positiva de nuestra realidad. Aquello del vaso medio lleno o el vaso medio vacío. Y depende, únicamente, de nosotros.

Esforzarse por descubrir más lo positivo que lo negativo e identificar, o esperar, lo mejor a pesar de las «aparentes apariencias». El optimismo, más allá de la genética, puede adquirirse, con esfuerzo, con lucha. Mediante la repetición de actos o momentos cotidianos de optimismo, intentando buscar y dar lo mejor de sí mismo. Vivimos de proyectos y recuerdos. Y nuestros proyectos sólo serán posibles si dejamos de pensar que son imposibles.

Por último, en demasiadas ocasiones buscamos la felicidad en cosas externas y construimos la vida en torno a realidades que se encuentran fuera de nosotros. Nos olvidamos de construir nuestro interior, que es como los pies sobre los que se apoya toda nuestra existencia. Muchas veces pasamos por alto la ética, los principios y valores, porque estamos ocupados en lograr el oro, la plata o el bronce, al precio que sea necesario. Lo triste es que después de tantos esfuerzos nos damos cuenta del gran vacío al que conduce esa tarea, a la que hemos entregado una parte importante de nuestra vida. Quizá nuestra auténtica «calidad de vida» dependa de que nos esforcemos por vivir serenamente. Aprovechar el tiempo para pensar en uno mismo y reflexionar. Quizá identifiquemos en qué podemos mejorar en nuestra vida. Por ejemplo, dejar de lado la obsesión por hacer e intentar, simplemente, ser. O hacer menos y ser más.

En fin, un audaz programa de vida para los próximos... años.

XXVI

Ser abogado

23 de agosto del 2016

El Premio Abogados de Novela se convoca, cada año, por el Consejo General de la Abogacía Española, la Mutualidad de la Abogacía y Ediciones Martínez Roca, del Grupo Planeta, con la intención de premiar una novela que ayude al lector a profundizar en los conocimientos del mundo de la abogacía y sus ámbitos de actuación, valores, proyección y la trascendencia social de su función. El primer libro, distinguido por este galardón, que leí fue «El jurado número 10», de Reyes Calderón, que recibió el reconocimiento en el año 2013. Recuerdo que se trataba de una novela interesante, amena y especialmente divertida (en mi opinión ayuda que los personajes y el entorno sean locales); y, en este caso, también divulgativa pues da a conocer cómo funciona el jurado en nuestro sistema judicial.

«El abogado de pobres» fue la novela ganadora del Premio Abogados de Novela 2014. Ambientada en Jerez de la Frontera a mediados del siglo XVIII, su protagonista es un abogado de pobres que tiene que enfrentarse a varios casos de corrupción, robo y falsificaciones, abusos de poder y manipulación de la Justicia. En el más importante de ellos, estarán implicados algunos de los personajes más importantes de la ciudad. La figura del «abogado de pobres» es una figura que desaparece a finales del siglo XVIII en la medida que, en las grandes ciudades, se van creando los Colegios de Abogados que se encargan de defender gratuitamente a los pobres y desamparados, designando de entre sus colegiados a quienes por turno habrían de hacerse cargo de la defensa de esas personas sin posibles. Juan Pedro Cosano, abogado gaditano, personifica en Pedro de Alemán, el protagonista de su relato ganador, los rasgos de un jurista, adalid de la cultura y de los valores humanos. Excelente novela, muy recomendable. Asimismo, la novela ganadora del VI Premio Abogados de Novela (2015), «La mediadora» de Jesús Sánchez Adalid. La mediación como medio alternativo de solución de conflictos está de moda. Aunque, en mi opinión, es más antigua que el hilo negro… La Abogacía es una profesión pionera en la mediación como herramienta para alcanzar el consenso entre partes en conflicto ya que los abogados, mayoritariamente, llevamos siglos promoviendo la cultura del acuerdo.

Durante la Feria del Libro de León, en la Librería Universitaria, me encontré con «El alma de la toga»; y ya su título me resultó tan sugerente, que me lo compré… Su autor, D. Ángel Ossorio y Gallardo (1873-1946), tuvo una vida plena de responsabilidades profesionales y políticas. Fue Presidente de la Academia de Jurisprudencia y Legislación, y del Ateneo de Madrid. Gobernador de Barcelona y Ministro de Fomento durante el reinado de Alfonso XIII. Diputado en varias legislaturas. En la II República fue Presidente de la comisión que elaboró la Constitución Española de 1931, y Embajador. Bien, pues después de una vida tan intensa, poco antes de morir, reconoció a sus amigos, en Buenos Aires (donde se exilió tras la Guerra Civil), que su mayor satisfacción fue ser abogado.

Años antes, en junio de 1919, en el apogeo de su profesión, escribió «El alma de la toga». Un libro muy oportuno para quien se inicia en el ejercicio de la abogacía pues está repleto de sabios consejos fundamentados en su experiencia. A pesar de su brevedad trata muchos asuntos que invitan a pensar. Como cuando escribe sobre quién es Abogado, y la diferencia con el Licenciado en Derecho. La moral del abogado. Su sensibilidad, su cordialidad; el «desdoblamiento psíquico». Su independencia. Según D. Ángel el mundo nos utiliza y respeta en tanto que tengamos «la condición del amianto»: poder y riqueza, fuerza y hermosura, todas las incitaciones, todos los fuegos de la pasión han de andar entre nuestras manos sin que nos quememos... Cuando habla sobre el sistema de trabajo, aconseja que antes de coger la pluma hay que estudiar los documentos y consultar libros. Y no confiar nunca en la capacidad de improvisación: el guión escrito es siempre indispensable. Aunque considera que todas las horas son buenas para trabajar, recomienda especialmente las primeras de la mañana (desde la seis hasta la diez) porque «antes de las diez de la mañana podemos dar al trabajo nuestras primicias y, después de la diez de la noche, no le concedemos sino nuestros residuos...». Partidario del uso de la palabra en la resolución de conflictos: «se adelanta más en media hora de conversación que en medio año de correspondencia». Sobre la oratoria forense hace recomendaciones sencillas pero muy prácticas, muy útiles para el ejercicio de la profesión, como cuando afirma que «la brevedad es el manjar preferido de los jueces...». Defiende una oratoria breve, clara, concreta, cortés, amena y que cuide el léxico. Leer es esencial, también para un abogado. Cuando no se lee, nos recuerda, «viene el atasco intelectual, la atrofia del gusto, la rutina para discernir y escribir, los tópicos, los envilecimientos del lenguaje...».

Me sorprende que trate asuntos que entonces eran de actualidad y que hoy, casi cien años después, lo continúen siendo como la especialización, el trabajo de los jueces («hay mucha más abnegación y virtud de la que el vulgo supone»), la abogacía y la política, la «defensa de los pobres» (justicia gratuita), la función de los colegios profesionales o la utilización de la toga («todas las apariencias tienen su íntimo sentido»). Personalmente me encantó esta frase: «Hay que estudiar, hay que leer, hay que apreciar el pensamiento ajeno, que es tanto como amar la vida, ya que la discurrimos e iluminamos entre todos». Recomiendo la lectura de este libro. A mí me ha nutrido con puntos para pensar. Y me he divertido conociendo nuevas palabras como rábula, curialete, fuste, ganapán, petimetre o tresillista...jajaja. A pesar de los años transcurridos desde su primera edición (1919), mantiene su vigencia y, quizá por eso, «El alma de la toga» es reconocida como un verdadero clásico de la literatura jurídica.

XXVII

La «otra» educación

2 de octubre del 2016

Hoy, en el mundo occidental, la casi totalidad de los ciudadanos saben leer y escribir lo que supone un logro inimaginable hace un siglo. Sin embargo, eso no basta en las relaciones económicas y sociales de nuestro tiempo. Muchas personas no son capaces de seguir instrucciones escritas, tienen dificultades para comprender lo que leen y no son capaces de extraer mínimas consecuencias analíticas. Son los llamados «analfabetos funcionales».

La comprensión como distinta al simple desciframiento de los símbolos escritos que constituyen las palabras, es vital para manejar manuales y sistemas informáticos, por ejemplo. Para una economía que sólo pretende producir y exportar materias primas, esta cuestión tiene poca importancia. En cambio, la microelectrónica, biotecnología, telecomunicaciones, etc., todas ellas son industrias basadas en la capacidad intelectual de las personas y, por ello, se pueden instalar en cualquier lugar del mundo…. El conocimiento y las habilidades son la más importante (si no la única) fuente de ventaja comparativa sostenible en el largo plazo.

El esfuerzo por una buena educación es una prioridad de todos, es la base para un desarrollo humano y económico sostenible. Las dificultades actuales, la mayor incertidumbre y la mayor carga de trabajo están provocando una mayor tensión en las organizaciones. Las discusiones, los malos entendidos, etc. se hacen presentes y, a veces, generan un ambiente difícil y desagradable. Si en este contexto, además, quienes tienen la responsabilidad de dirigir no practican las normas básicas de educación y cortesía, la situación empeora aún más.

¿Cuáles son estas normas básicas de convivencia que habitualmente no se respetan? No saludar al llegar al lugar de trabajo. No mirar a la cara. Llegar tarde a las reuniones haciendo perder el tiempo a los demás, generalmente sin pesar alguno por la pérdida de tiempo y la falta de respeto que supone para otras personas. No responder: correos, llamadas de teléfono, etc. No escuchar a los otros: leyendo en las reuniones mientras otros exponen, interrumpiendo la exposición o monopolizando el uso de la palabra. Enfadarse, elevando violentamente el tono de voz ante cualquier hecho que no sea de su agrado. No pedir las cosas por favor ni dar las gracias.

Muchos directivos se excusan diciendo que no es un problema de mala educación sino de falta de tiempo... Es posible que refleje una mala organización personal del tiempo por no delegar lo suficiente. Pero en el fondo, opino, hay una falta de respeto y consideración hacia las personas con las que trabajamos. Respetar a todas las personas con las que nos relacionamos es esencial en nuestro desarrollo profesional. Egoísmo, ambición, afán de poder, individualismo, competitividad extrema, que no duda en poner el pie encima de otro... son algunos de los calificativos con los que muchos ciudadanos definen a los directivos de muchas organizaciones. Quizá para revertir estas negativas opiniones se ha vuelto a poner el foco en la conveniencia de que los directivos se esfuercen en adquirir y desarrollar otras cualidades como, por ejemplo, el liderazgo basado en principios.

El directivo debe tener la capacidad de estar informado de todo lo relevante para su organización, de trabajar codo con codo con cualquiera. Tiene que saber del negocio y de la empresa, tener metas claras, mantener la política de puertas abiertas y contagiar a sus colaboradores para que estos se adhieran, ojalá con entusiasmo. Por tanto, el directivo, además de tener ciertos conocimientos de la industria o del mercado, debe tener la capacidad para relacionarse y comunicarse —efectivamente— con las personas: clientes, proveedores y, muy especialmente, con su equipo de colaboradores.

Su principal tarea es coordinar a las personas a quienes tiene la responsabilidad de dirigir, para lograr los objetivos que se quiere alcanzar. Esto implica tiempo y habilidad para delegar, trabajar en equipo, escuchar a las personas y considerar su participación en la toma de decisiones. Definitivamente, las personas son la mayor y la mejor ventaja competitiva. Y para ello es fundamental generar —quien tiene la responsabilidad de dirigir— un ambiente de trabajo en el que todos los colaboradores puedan desarrollarse. Por tanto, sugiero recuperar, actualizar, las mejores prácticas de normas de buena educación en favor de las personas con las que convivimos en nuestro trabajo profesional, especialmente, con quienes tenemos la responsabilidad de dirigir.

XXVIII

El valor de lo sencillo
16 de octubre del 2016

Hace unos días me tomé un café con un amigo y, como siempre, hablamos de todo, de la familia, del trabajo… Me contó que, en su empresa, llevan varios meses, casi un año, inmersos en un proceso de reorganización que, en general, tiene muy cansados y molestos, a la mayoría de los empleados.

Para este programa de mejora organizacional, así se comunicó que sería, los dueños han contratado a una consultora de nombre rimbombante, en inglés, «of course», aunque sus peones son de la zona. Llevan meses recopilando información, elaborándoles informes, asistiendo a las entrevistas y reuniones que permanentemente convocan. Y pareciera como que no se va a acabar nunca. Son insaciables. Piden y piden… Además, mientras tanto, tienen que seguir cumpliendo con sus responsabilidades y, a pesar del esfuerzo que todos están realizando, el desenfoque que se ha producido en la organización es mayúsculo. Están más preocupados de aprender a manejar el nuevo sistema que de atender a los clientes… Este tipo de consultoras son especialistas en hacer complejo lo sencillo, difícil lo que puede ser fácil.

Después de escuchar a mi amigo, intenté animarle con mis palabras, «no te preocupes no hay mal que cien años dure…», «no te quejes que tienes trabajo», «que el que no se consuela es porque no quiere...»; de vuelta a casa, me acordé de una anécdota que sobre este asunto me contó una vez mi sabio profesor. Don Víctor lo llamaba el caso de la caja vacía.

Ocurrió en una mediana empresa de cosmética. La compañía recibió las quejas de varios consumidores que compraron una caja de jabón y estaba vacía. Inmediatamente los dueños identificaron que el problema estaba en la cadena que transportaba todas las cajas empaquetadas de jabón al departamento de reparto. Por alguna razón, muy de vez en cuando, alguna caja de jabón pasaba vacía por la cadena de montaje. Se contrató a una consultora externa y, rápidamente, sus ingenieros recomendaron comprar un costoso y complejo sistema que, en pocas palabras, consistía en una máquina de rayos X, con monitores de alta resolución, manejados por dos técnicos especialistas, y así vigilar, una a una, todas las cajas de jabón que pasaran por la línea para asegurarse de que no fueran vacías.

Una vez que los ingenieros se marcharon, el sistema comenzó a fallar más que escopeta de feria y entre que venían y no venían a repararlo, Juan, que llevaba treinta años trabajando en la cadena de montaje de esa empresa, había ideado su sistema alternativo: en lugar de complejos, costosos y delicados scanners y sistemas informáticos, se fue a la ferretería de su barrio, compró un potente ventilador y lo apuntó hacia la cadena de montaje. Lo encendió y cuando las cajas pasaban por delante del ventilador, las que estaban vacías salían volando...

En la vida de cada uno y, «of course», también en las empresas, nos complicamos la vida en exceso...La mayoría de las situaciones tienen fácil solución y no sé por qué muchas veces elegimos la más complicada, la más compleja, la más cara…El ejemplo de Juan, este ingenioso colaborador de la cadena de montaje, nos debe servir de fuente de inspiración para esforzarnos por simplificar las soluciones a nuestros problemas, apostar por la sencillez.

Una de las acepciones que nuestro diccionario da sobre el término simple, la tercera, dice «sencillo, sin complicaciones ni dificultades». «Keep it simple» suelen decir los norteamericanos, hacer o mantener las cosas simples. Trabajar sobre lo esencial, privilegiar el objetivo buscado y, sobre todo, desechar toda acción o paso que no conduzca directamente a este último de una manera eficiente.

Un imperativo que resulta primordial para el reconocido pragmatismo de los anglosajones, y que lamentablemente para muchas personas y organizaciones se encuentra absolutamente ausente de su consideración. Es más, en ocasiones, quizá por alguna misteriosa razón que todavía no he logrado desentrañar, todo aquello que pueda ser concebido o explicado en términos sencillos despierta entre muchas personas una inmediata desconfianza en una doble y perniciosa dimensión: en primer término en cuanto a su efectividad, es decir, que una solución simple, por este solo hecho, no puede ser tal y, en segundo lugar, en cuanto a su credibilidad, esto es, que una solución o explicación de esta naturaleza no puede ser verdadera o, al menos, es tan sólo de carácter parcial.

Qué es lo que nos lleva a no reconocer el tremendo valor que tiene privilegiar la búsqueda de soluciones sencillas es una pregunta de difícil respuesta. Una primera alternativa es que tendemos a confundir lo simple con todo aquello que no demanda esfuerzo, lo que es un error ya que, por lo general, sucede, al contrario, mientras más simple es la respuesta más difícil resulta encontrarla. La segunda es que, tal vez, la explicación debamos hallarla en un sistema educativo que premia la cantidad por sobre la creatividad y que, como no podría ser de otra manera, después se reproduce casi automáticamente en nuestra vida laboral; no importa tanto el cómo vas a responder en clase sino el cuánto vas a responder, ni luego el qué vas a producir sino en cuánta cantidad lo vas a hacer.

Los resultados están a la vista, muchas personas y organizaciones sólo son buenas para producir bienes y servicios fáciles de copiar y de reemplazar, y malas para los productos y servicios de un mayor valor agregado. Reconocer el valor de la simplicidad es importante para quienes tengan el propósito de mejorar.

XXIX

Otra política, otro futuro

29 de octubre del 2016

Hace unos días leí en «Diario de León» que el equipo de Gobierno de Sariegos, presidido por su alcalde Juan Llamazares (Ciudadanos) ha concedido, durante este año, becas de estudio con el dinero que ha ahorrado acabando con las dedicaciones totales y parciales y con la disminución de las dietas por asistencia a plenos y comisiones. Y, además, que para el año 2017 quiere rebajar hasta un 20% la cuota del IBI que pagan sus vecinos. Un claro ejemplo del «uso alternativo del dinero», de que las cosas se pueden hacer de otra manera: mejor. Otra política, otro futuro.

El control presupuestario es imprescindible y todos hemos visto —y sufrido— lo que sucede cuando los recortes se trasladan a la sociedad. Es necesario que sea la propia Administración la que se los aplique a sí misma y se renueve para ser más simple, ágil y eficiente, al servicio de los ciudadanos que debiera ser su prioridad. Es urgente una administración territorial más racional. No es posible que después de las transformaciones sociales y tecnológicas de los últimos años las administraciones públicas sigan funcionando bajo criterios del siglo XIX. La desafección de los ciudadanos hacia los políticos y las instituciones tiene que ver, también, con esa falta de adaptación a los nuevos tiempos. No es justo que después de varios años de crisis su gasto sea prácticamente el mismo y que la ausencia de reformas no haya detenido el incremento de nuestra deuda pública.

Muchos ciudadanos estamos hartos. Queremos transparencia, saber qué se hace con nuestro dinero, con el de nuestros impuestos, en qué se gasta. Se tiene una generalizada sensación de que cada día se paga más, pero, sin embargo, empeora la enseñanza, la sanidad y todo aquello que podría ayudar a mejorar la calidad de vida de las personas. Recordemos que, la venta de una —sólo una— de las cajas intervenidas (Caixa Galicia), ocasionó tantas pérdidas como el recorte en educación. Y eso a mucha gente no nos parece razonable. Sin transparencia no hay democracia. Lo que nos está pasando, en España, es por falta de transparencia. Ser transparente no es publicar datos. Y no se es más transparente por publicar más datos. No es un tema de cantidad sino de calidad, de formas de hacer, de políticas. España necesita un cambio de políticas. Y no nos engañemos: no es sólo un cambio de caras. Eso sería maquillaje, postureo: intento de parecer algo que no se es.

La falta de credibilidad en la política y en los políticos ha llevado a que muchos ciudadanos no tengan interés en participar, ni siquiera votando. La gente normal ve a los políticos lejos de la realidad; y muchas de sus acciones, aun siendo legales, se perciben como poco éticas. La responsabilidad política como asunto de ética no se considera. Las dimisiones son rarísimas y casi nadie asume responsabilidades por la función que desempeña. En la opinión de la gente, la credibilidad o la falta de ella, se forma lentamente en el tiempo y generalmente no está asociada a un suceso específico, sino a un cúmulo de acontecimientos o detalles que alimentan la confianza o desconfianza. La credibilidad ha pasado a ser uno de los aspectos fundamentales de la relación del individuo con la sociedad. Se trata, en definitiva, de la confianza que tiene el ser humano en sus semejantes e instituciones con quienes se relaciona.

La política necesita aire fresco y sabio. Y esto no es cuestión de edades sino de ideas. Algunas de las propuestas de estos jóvenes políticos de moda son más antiguas que la rueda: a sus hechos me remito. La demagogia y la mentira prenden con mucha facilidad en situaciones como la que actualmente atraviesa España. Quizá España necesite un nuevo contrato social. O no. O baste con mejoras, con nuevas formas de hacer políticas capaces de construir un proyecto de futuro que genere ilusión a la mayoría de los ciudadanos. Donde lo importante sea el contenido, el qué se hace y el cómo se hace. En fin, hay otras formas, alternativas, de hacer las cosas. Como, por ejemplo, en Sariegos.

XXX

Por las buenas formas

13 de noviembre del 2016

Una oleada de creciente vulgaridad invade nuestra vida. No es nueva. Hace unos treinta años, algunas personas decidieron como reacción a los cánones políticos de la época, identificar autoritarismo y maneras educadas de tratarse, dictadura y buenas formas.

Se produce, entonces, el progresivo derrocamiento de la corbata, la entronización poderosa del vaquero y, lo que es peor, el arrinconamiento de los buenos modales, la devaluación de los usos lingüísticos que, «viralmente», nos alcanza a todos. Asistimos, pues, al desprecio sistemático de las buenas formas, a su conculcación cuando no a su burla y escarnio: los jóvenes no se consideran, en general, obligados a ceder a los ancianos el asiento del autobús. A vetusto anacronismo suena el observar la vieja costumbre de que el que sale tiene derecho preferente sobre el que entra.

El «sincorbatismo» se ha convertido en una mística, cuando, en realidad, vestir bien no consiste en llevar siempre corbata sino el traje o la vestimenta adecuados a cada situación. He conocido a directivos de organizaciones y empresarios de éxito que adolecen de una buena educación, de buenas maneras, de buenas costumbres. El protocolo es la técnica de hacer bien las cosas y el conjunto de normas y usos que nos dicen cómo actuar. Una técnica que, como tal, se aprende. Una preocupación humana, desde antiguo. El famoso Confucio, quinientos años antes del nacimiento de Cristo, ya destacaba su importancia en las relaciones humanas. Un negocio puede no concretarse por falta de tacto en una conversación o por desconocimiento de las costumbres de un país.

Una vez más, la importancia de cuidar los detalles, las cosas pequeñas, en las relaciones humanas. Cosas de protocolo que, a muchos, se les escapa, a veces por ignorancia y otras por el curioso convencimiento de entender que la buena educación está reñida con la modernidad. Aunque la mayoría de las normas de protocolo son universales, cada país tiene las suyas y hay que conocerlas para facilitar el éxito de un negocio. Muchos extranjeros se extrañan ante errores tan comunes entre los españoles como el habitual tuteo, o ir directamente al grano y hablar de negocios desde el primer momento.

La imagen corporativa ha pasado a ser un tema de millones de euros para muchas organizaciones. Cada vez son más frecuentes los grandes despliegues publicitarios. La cuestión clave es: ¿está la organización preparada para cumplir con las promesas desarrolladas por creativos y publicistas? La organización tiene que cumplir con las expectativas generadas por la campaña de imagen. Si, por ejemplo, decimos que nos distinguimos por la amabilidad, debemos traducirlo en acciones concretas de nuestros colaboradores: ¿todos sonriendo? ¿resolver con diligencia los problemas de los clientes? ¿responder el teléfono antes del tercer timbrazo...?

Concretar es fundamental para poder lograr uno de los aspectos más complejos: lograr el compromiso de todos, que quieran lo que la organización quiere, cómo y cuándo lo quiere. Lograrlo, requiere un trabajo intenso que exige mejoras en la cultura de trabajo, en los estilos de dirigir. Emprender una campaña de imagen con una promesa que la organización no está preparada para ofrecerla es un desprestigio, una pérdida de tiempo, dinero y credibilidad.

Cuidar nuestra imagen es fundamental. Una imagen que implica no sólo llevar la vestimenta adecuada sino comportarse correctamente en toda circunstancia. La puntualidad, la cortesía o cómo saludar son algunos aspectos a cuidar especialmente. El saludo es el primer contacto físico con la otra persona; por tanto, hay que cuidar cómo estrechamos la mano. Una persona segura estrecha francamente su mano. Dar la mano como si fuera una merluza muerta, o como si fuera una tenaza, suelen ser muestras de mala educación. La urbanidad se puede aprender siempre, aunque facilita las cosas si los aspectos básicos se vivieron desde pequeños. Cuando no tengamos claro qué hacer, actuar con naturalidad es siempre mejor que adoptar una postura acartonada, estereotipada, rígida.

En conclusión, la imagen vende y las buenas costumbres venden mucho más. Las ricas fórmulas de salutaciones del español han sido reducidas al «hola», al «vale» o al «ok». El tuteo indiscriminado se ha impuesto de forma generalizada. Se ignora que los parques públicos son de todos y no es difícil contemplar la destrucción del respeto a los otros que supone el «día después» de los botellones. Los insoportables y, en ocasiones, ridículos, sonidos de algunos multitonos de teléfonos móviles nos aturden a todas horas y en todo lugar. Los usuarios frecuentes del tren debemos soportar, si o si, que cualquier hijo de vecino cuente, sin ningún pudor y a viva voz desde su asiento, su vida y milagros a su interlocutor telefónico, cuando, el precio pagado por el billete, pareciera dar derecho a una mínima tranquilidad.

Ya en el siglo XIX un escritor tan nada sospechoso de «involucionismos» como Mariano José de Larra satirizaba sobre las toscas maneras y alababa el «provechoso yugo de una buena educación». Hoy debemos exigir, con Larra y con todas las personas civilizadas, la restitución imperiosa de las buenas formas y la proscripción social del mal gusto y la chabacanería.

XXXI

Destacar en las aulas…y en el recreo

28 de noviembre del 2016

Hace unas semanas tuve la suerte de escuchar a Trinidad Manzano que inauguró el Foro sobre Innovación Educativa con una conferencia sobre los detalles del programa de aprendizaje cooperativo que están desarrollando en el Colegio Peñacorada. Escuchándola, pensaba en la importancia que tiene que las personas aprendamos —desde niños— a colaborar. Empresarios y directivos de organizaciones se quejan, con frecuencia, de que sus empleados (y muchos de ellos, añado yo…) no saben trabajar en equipo, y de los perjuicios que esa carencia tiene para sus resultados.

Es muy difícil, casi imposible, aprender a trabajar en equipo únicamente a través de la lectura de libros o en un taller por muy bueno que sea el facilitador, y por muy buenas que sean las disposiciones del lector y/o participante. Como ocurre con tantas otras habilidades de «importancia vital», a trabajar en equipo se aprende, desde pequeños, en la familia y el colegio. Jugando y estudiando: conviviendo.

El logro de las metas de las empresas depende del grado de compromiso de las personas que en ellas colaboran, más allá de la responsabilidad que desempeñen en la organización. Por tanto, para un directivo es prioritario contar con un equipo de personas, conocedoras de su trabajo, esforzadas en hacerlo bien, con ganas e ilusión por lograr los objetivos. En definitiva, de un equipo de colaboradores.

Una actitud formada en el esfuerzo por hacer las cosas bien supone un buen antídoto para superar los circunstanciales estados de ánimo. La voluntad se puede entrenar, y eso depende de cada uno de nosotros. Ese entrenamiento de la voluntad se logra a base de pequeños vencimientos, de pequeños esfuerzos, del logro de metas, que comienzan siendo pequeñas y, una vez educada nuestra voluntad, pueden superar todas las expectativas. Esforzarnos, insistir en lograr lo que nos cuesta engrandece y fortalece nuestra voluntad. Lo más difícil suele ser el compromiso con lo pequeño, con lo menos importante, con lo que suele pasar inadvertido ante los demás... Los buenos colaboradores que he conocido (y he tenido la suerte de conocer a muchos) son personas que se preocupan y ocupan de los detalles, de hacer bien las cosas pequeñas, con el mismo interés y esfuerzo con el que atienden los grandes asuntos de sus vidas. Una voluntad entrenada para hacer las cosas bien se manifiesta en propósitos firmes y un ánimo superior para enfrentar las contrariedades. Estas son sólo algunas de las diferencias entre un empleado y un colaborador.

Las organizaciones de alto desempeño se definen por ser organizaciones de colaboradores. La organización de esa red de talentos o colaboradores interconectados en torno a un mismo proyecto, cada uno desde su rol, de forma sinérgica y creativa, no es sólo cuestión de liderazgo, acierto estratégico y una dirección adecuada en cada entorno, sino, además, el resultado de un fino alineamiento de las políticas de selección, desarrollo y compensación en torno al objetivo de atraer y retener el mejor talento y conectarlo al proyecto.

En la economía del conocimiento, las personas producen más valor que el capital y, por tanto, deben ser tratadas —realmente— como factor privilegiado, en tanto que su impacto en los resultados es cada vez mayor. En la vieja empresa —que requiere pocos pensantes y muchos actuantes— el éxito depende de la creatividad de los pensantes y de la disciplina y esfuerzo de los actuantes. Hoy —y desde hace tiempo— las cosas ya no son así, y no sirve de nada tener actuantes disciplinados si no resuelven las necesidades de los clientes y no colaboran en la innovación para producir, en términos de coste y calidad, mejor que la competencia. Este valor añadido, diferencial del conocimiento organizado, supone la ventaja competitiva más sólida y difícil de copiar.

La formación que reciben quienes tienen la responsabilidad de dirigir suele estar más enfocada hacia elementos técnicos que hacia elementos que faciliten su relación con otras personas. Estamos invadidos de tecnicismos que rodean la gestión de las empresas, y descuidando dos capacidades básicas como son el sentido común y el criterio fundamentado en principios. Esta carencia, en ocasiones, se ha reflejado en el mal desempeño de algunos directivos en forma de corrupción o engaños.

Un directivo debe saber anticiparse a lo que está sucediendo, contar con una visión estratégica del negocio, e, igualmente, ser capaz de formar e integrar equipos de trabajo. La orientación a las personas, la habilidad de relacionarse, es un requisito desde que las organizaciones comenzaron a simplificarse, a «aplanarse». Por tanto, ahora, quien tiene la responsabilidad de dirigir

tiene que haber destacado tanto en las aulas como en el recreo...
Porque en la empresa tendrá que relacionarse con personas y
esto no se aprende sólo en los libros. Una vez más, la importancia de aprender (ojalá en la familia y en el colegio) a comunicar,
a cooperar, a relacionarse: a convivir. Si no, se tendrán serias
dificultades para dirigir un equipo de personas. Y, esto a la larga,
siempre repercute en los resultados.

XXXII

«Hikikomori» o la rebelión de los buenos

13 de diciembre del 2016

Hace unas semanas que Diario de León nos informaba de la presentación en Ponferrada de la última novela de mi compañero y amigo, Manuel Ángel Morales: «Hikikomori». En resumen: Kimitake, un adolescente encerrado desde hace varios años en su habitación («hikikomori»), pasa su tiempo jugando en la red, en un interminable juego llamado «Campo de Batalla». Poco a poco, ha ido perdiendo la noción de la realidad, hasta que un día, algo sucede: conoce a Ketsuno, otro adolescente a quien decide seguir. Juntos encontrarán al resto del grupo que bautizarán como «caballos desbocados», en honor al autor al que Ketsuno y Kimitake veneran. Con ellos, saldrán en las oscuras noches a limpiar Megaciudad, capital del Reino de Sombras, de la pérfida casa de los corvinos, el clan antiguo que señorea todo el Reino. Dejarán de ser «hikikomoris» para convertirse en guerreros que hacen Justicia a sangre y acero...

Un alegato a favor de la regeneración social a través de un mundo de personajes exóticos, extravagantes, almas libres que, con una cierta orientación machadiana («la mala hierba debe cortarse al paso»), se proponen ejecutar a la Bruja Torva que con la ley y el dinero de su parte sometió fácilmente a las otras autoridades del Reino de Sombras, donde no reinaba el mérito y la capacidad. Para iluminar la oscuridad acuerdan acabar, también, con el Clan Corvino, integrado por individuos de naturaleza cobarde, cada vez más ávidos de riqueza, molestos por la infección que provocan sus fétidas vidas, la hediondez de sus auras. Entre ellos destaca Kiñono, un exponente de todos los vicios corvinos que detestan, arribista hasta el extremo de pasar la lengua por el suelo que pisaba la Bruja Torva. O Tuliano, el de la motocicleta, otro que renunció para tener. Para los corvinos la subvención era lo importante. Y crearon varios polígonos industriales con la intención de hacerse con las cuantiosas subvenciones que, desde dentro del país, se destinaban a lo que ellos llamaban la «promoción industrial» de Megaciudad.

Novela actual que muestra influencias literarias de moda, y novela-de-siempre porque trata temas permanentes, inherentes a la naturaleza humana, como la deslealtad, la avaricia, la corrupción… Sin transparencia no hay democracia. Por ejemplo, mucho de lo que nos está pasando, en España, es por falta de transparencia. Ser transparente no es publicar datos. Y no se es más transparente por publicar más datos. No es un tema de cantidad sino de calidad, de formas de hacer, de políticas. España necesita un cambio de políticas. Y no nos engañemos: no es sólo un cambio de caras. Eso sería maquillaje, postureo: intento de parecer algo que no se es.

Más allá de que se puedan (y deban) aplicar medidas técnicas y políticas, la superación de esta situación se logrará gracias a decisiones esencialmente éticas. La credibilidad ha pasado a ser uno de los aspectos fundamentales de la relación del individuo con la sociedad. Se trata, en definitiva, de la confianza que tiene el ser humano en sus semejantes e instituciones con quienes se relaciona. No se trata del aspecto formal de estas relaciones, que pueden estar reguladas por leyes o por acuerdos privados entre las partes, sino de la convicción íntima de las personas que sus derechos serán respetados y que los compromisos adquiridos se van a cumplir. La importancia de la credibilidad es mucha.

«Hikikomori *o la rebelión de los buenos*». He añadido esta frase al título de la novela de Manuel Ángel Morales porque, opino, ése, junto con la lucha contra la corrupción, es otro tema de fondo. Es común que, con frecuencia, los ciudadanos vivamos en un cierto aletargamiento que nos impide salir de nuestra zona de confort, «complicarse la vida», cuando las cosas nos indignan, no nos gustan o, sencillamente, creemos que se pueden hacer mejor. Como todo el mundo es bueno y da lo mismo ocho que ochenta, porque nada es verdad ni es mentira, a ver quién es el guapo que se atreve a decir que esta boca es mía, a rebelarse. Otra cosa es la forma de manifestar, de canalizar, nuestra indignación, de rebelarnos. Y ahí, pienso, tienen encaje el respeto y la proporcionalidad de los medios.

No todas las opciones culturales, políticas, económicas, sociales son iguales ni merecen la misma calificación. Por ejemplo, hace tiempo leí la noticia de que las autoridades de Arabia Saudí ejecutaron a siete jóvenes acusados de asaltar unas joyerías. No está claro cómo los mataron. Unos medios dicen que fueron decapitados; otros, que fueron fusilados ante la escasez de verdugos especializados en ejecutar con sable…No es la primera vez que me impresiono ante una noticia de este tipo. Y, siempre, que pienso en ello concluyo que valoramos poco, muy poco, que nuestra civilización esté fundamentada en los derechos humanos. Aquí también se castiga a quienes delinquen pero con respeto a su dignidad de personas, con garantías: uno es inocente mientras no se demuestre lo contrario, jueces independientes, proceso transparente, asistencia profesional especializada, etc. y, siempre, buscando que, junto a la restitución o indemnización por el daño causado, el delincuente deje de serlo; por su bien y por el bien de la sociedad.

Y este sistema tiene causas. Una consideración concreta de la persona humana que, por el hecho de serlo, tiene derechos y obligaciones que todos debemos conocer y respetar. Por tanto, ni todas las culturas son civilizadas, ni son iguales, ni merecen la misma calificación. Iguales únicamente porque merecen tolerancia, respeto, en cuanto son expresión de la voluntad de un pueblo sobre cómo organizarse. Pero nada más. Hay que decirlo —y sentirlo— alto y claro, sin miedo: nuestra civilización occidental, fundamentada en los principios del humanismo, es mejor que otras. Una cosa es la autocrítica, sana y necesaria, y, otra, una equiparación con carácter general. Es igual pero no es lo mismo.

XXXIII

A favor de la gente auténtica

23 de diciembre del 2016

Pertenecer al exclusivo «Club de los 50» tiene ventajas, muchas ventajas.... Una de ellas es haber visto pasar abundante —y diversa— agua debajo del puente y, así, uno recuerda a los «sans culottes», los descamisados, las sin sujetador o aquella aristócrata de moda en los ochenta, famosilla por dejar evidencias varias de que no usaba ropa interior… En fin, toda una serie de personajes que quisieron decir algo de sí mismos a través de su vestimenta. El protocolo en la forma de vestir siempre ha sido un tema. Ya, en su época, D. Antonio Machado escribió sobre el «torpe aliño indumentario». Más recientemente, recuerdo, a finales de los 70 y principios de los 80, la puesta en escena de las chaquetas de pana de algunos políticos, y su fugacidad… Vamos, que esto no es nuevo. El disfraz de progre. El abandonarse en el vestir como símbolo de cercanía, de apariencia proletaria. En el fondo pienso que se ha tratado de una recurrente estrategia de comunicación de algunos políticos por «humanizarse», por ser (parecer) uno-de-los-nuestros.

Las corbatas ya no dan votos. Ahora lo que se lleva son las mangas de camisa. Una especie de uniforme cada vez más habitual en los actos institucionales. En mangas de camisa y sin corbata. Y si te empeñas en llevar chaqueta, eso sí, tiene que ser una al-estilo-de-Luís-Aguilé. Y, además, si quieres parecer más progre y más de izquierda, tienes que llevar la camisa por fuera del pantalón. Un atuendo más propio de un día de campo, de barbacoa, tortilla de patata y porrón. Y de esta guisa se presentan, algunos, muchos, cada vez más, sin el más mínimo rubor, en las ceremonias oficiales. Para algunos es el look de la nueva política, para el común de los mortales el uniforme de los desaliñados de toda la vida.

Para estos personajes se acabó aquello de vestirse bien como muestra de respeto, de consideración, de deferencia hacia las personas con quien uno va a convivir. Primero —poca cosa— fueron los abrigos que fueron sustituidos por chubasqueros como los del marido de la tía Eustasia, la de Luarca… Los abrigos de-toda-la-vida, con lo calentitos y elegantes que son. Es llevar este juego al despiste demasiado lejos: con el frío que hace en León. Y —los otros—, claro, se acomplejan y también se disfrazan. Y compiten a ver quién la tiene más desaliñada. Es muy probable que no quieran confundir, ojalá que no engañar. Que la élite económica prescinda de la corbata —símbolo de poder durante tantos años— eso si me pone en guardia… ¿qué quieren ocultar? En fin, los políticos, y también los directivos de empresas, no utilizan la corbata para despistar a la gente, para aparentar ser lo que realmente no son, gente como uno.

Pareciera que el descuido en el vestir (y en el hablar) nos ayudará a mejorar nuestra sociedad, a hacerla más justa… Todavía no encuentro el punto de conexión, por más vueltas que le doy. Pienso que se confunde la velocidad con el tocino, y el decoro y la buena educación con el tacticismo político. Como está sucediendo con algunos de estos jóvenes profesores universitarios, de imagen personal desaliñada, con ropa de hipermercado, como uno-de-lo-nuestros suele considerarlos mucha gente.

Pero, detrás de esa imagen de inocentes jóvenes mileuristas nos estamos encontrando con asesores políticos, «de colmillo», a nivel internacional que reciben honorarios, con muchos ceros, de fundaciones, gobiernos y televisiones por sus colaboraciones. Socios de organizaciones mercantiles con objetos sociales variopintos. Asesores monetarios del gobierno de Venezuela, o colaboradores de la televisión de Irán… Esto es más de lo mismo. Vamos que tampoco es lo que parecía, que también son casta, con otra presentación —en versión acrílica— pero casta al fin.

El mundo se ha hecho cada vez más más complejo y las informaciones que recibimos, cada vez más simples. La palabrería barata está reemplazando al debate de las ideas. Y como, parece, que lo del «torpe aliño indumentario» no terminar de resultar, ahora, están poniéndose de moda unos programas de televisión donde los políticos nos abren las puertas de su casa. Qué ternura… Humo, más humo. Yo lo que quiero es que hablen de política, escuchar sus propuestas. A mí me importa una jícama si sabe hacer croquetas o el color de los azulejos de su cuarto de baño. Me da la impresión de que están intentando —con éxito— jugar al despiste… Yo lo que quiero es que me digan qué proponen —por ejemplo— para mejorar el sistema de pensiones, la educación o acabar con la despoblación de nuestros pueblos cuestión ésta que, en León, es prioritaria. No me interesan las otras habilidades. Sin duda que serían una simpática conversación para la hora del café. A ver si es que mientras exhiben sus habilidades para el ganchillo o elaborar una mayonesa decente no hablan de lo que tienen que hablar. A mí me interesa, qué proponen, qué saben de administrar, de gestionar. Que, desde tiempo del faraón, una cosa es predicar y otra dar trigo.

XXXIV

Tiempo de puertas giratorias

8 de enero del 2017

Pensando en el interés general convendría revisar algunas de las leyes que regulan el paso de un cargo público a la empresa privada, popularmente denominado «puerta giratoria». Una expresión, lamentablemente de moda, para definir el aprovechamiento de lo público en beneficio de lo particular.

Por ejemplo, los departamentos fiscales de los bufetes de abogados siguen nutriéndose de altos cargos de Hacienda, en concreto, de inspectores y abogados del Estado expertos en materia tributaria que han estado defendiendo los intereses recaudatorios de la Administración, y han participado en la redacción de leyes y resoluciones fiscales. Profesionales especializados en ámbitos tan específicos como investigación de fraude, regulación o blanqueo de capitales que, en cuestión de semanas, pasan de estar-aquí-a- estar-allá... O de ser el responsable de supervisar a bancos a trabajar para ellos. Estos profesionales están siempre solicitados, pero es, en los momentos finales de cada legislatura, cuando muchos buscan una salida en este tipo de despachos. Más: hace tiempo que supimos que abogados del Estado, en excedencia, asesoraban a fondos extranjeros en arbitrajes planteados contra España por los recortes a las renovables. Estos funcionarios no tienen incompatibilidad en la excedencia y pueden reingresar en la Administración sin grandes restricciones.

Este trayecto de algunos funcionarios y políticos del mundo privado al público, y viceversa, con billete de ida y vuelta, suele provocar —lógicamente—, desconfianzas. Por ejemplo, un funcionario de la Agencia Tributaria que, durante los últimos diez años, ha trabajado como responsable de la inspección de grandes contribuyentes y que, de un día para otro, pide una excedencia y comienza a trabajar en un despacho de los que asesoran a los «grandes contribuyentes» en sus litigios con Hacienda... Sin duda, los «puertas giratorias» reportan beneficios a las empresas que los contratan. Y perjuicios para-el-común-de-los-mortales: pensemos en la costosa inversión del Estado, durante años, en la formación y desarrollo de sus altos funcionarios para que luego las empresas privadas se aprovechen de su madurez profesional.

En la Unión Europea, en España, hay casos documentados de cómo compañías de sectores regulados se han visto favorecidas por decisiones administrativas que han sido generosamente recompensadas a sus responsables con sillones de consejeros en estas empresas. Unos cuarenta políticos que han desempeñado importantes responsabilidades (presidentes del Gobierno, ministros, diputados, senadores, presidentes de Comunidades Autónomas, embajadores...) son —actualmente— consejeros de las empresas más importantes de España. Y aunque hay varios estudios que lo demuestran, no hay nada mejor que observar como las empresas que anuncian el nombramiento de antiguos diputados o senadores o altos funcionarios, experimentan una subida de su cotización bursátil.

El cinismo y el desparpajo de algunos no tiene límites cuando se les pregunta sobre el conflicto de intereses: no existe tal porque me dedico a dar una perspectiva sobre cuestiones que afectan a la economía global... Genial, qué manera de retorcer el lenguaje. Este «tránsito» es especialmente delicado en sectores regulados donde las decisiones empresariales se toman por los subordinados, amigos o compañeros del nuevo consejero. No siempre es así, pero hay casos, demasiados casos, en que determinadas designaciones responden a favores, influencias, o también, al pago de fidelidades internas.

Este fenómeno requiere de una mejor regulación. Mucho más restrictivo en determinados ámbitos como, por ejemplo, en Justicia. Una mayor transparencia para combatir los excesos que se han producido, que son demasiados... Política y Justicia deben permanecer prudentemente separadas de modo que no sean necesarios actos de fe sobre la rectitud de las personas implicadas. No se trata de descender al detalle de situaciones personales sino de tomar conciencia sobre la necesidad de fijar unas reglas generales que no permitan que, por ejemplo, un juez que entra en política (ya sea en una candidatura, ya sea en un cargo de confianza) pueda volver, sin más, al servicio activo. En Estados Unidos, por ejemplo, una vez que se deja la judicatura para entrar en la empresa privada se pierde cualquier tipo de derecho sobre la plaza. Y si, alguien quisiera a regresar a la carrera judicial, tendría que volver a opositar. No como aquí que arriesgo-pero-sin-arriesgarme.

Cuando estos asuntos generan «ruido mediático», hay quienes se apresuran a crear órganos u oficinas para regular los posibles conflictos de intereses. Y la vida sigue igual porque quienes elaboran los dictámenes no suelen ser personalidades independientes sino subordinados del político de turno. Lo razonable sería que nadie que haya estado en cargos públicos (del nivel que estamos considerando) pueda estar luego en empresas o sectores regulados, al menos, en los cinco años siguientes a abandonar el cargo. Una incompatibilidad de dos años no es suficiente. Si los mandatos son de cuatro años, al pasar dos, hay gente conocida que todavía permanece. Y, además, aunque esto, en cierto modo, se sale del tema, el problema de fondo es que muchos políticos ganan más, a veces mucho más, de lo que ganaban antes. Y esto es la madre de muchos corderos... Y todavía más leña para este fuego: una gran parte de nuestros políticos, con responsabilidades a todos los niveles, sólo sabe o puede vivir de la política.

Urge clarificar («hacer transparente») la red de relaciones entre los grupos económicos y el poder político. Hay empresas, sectores completos, que su cuenta de resultados depende, a menudo, más de las decisiones de lo público que de su propia gestión. Se trata de una cuestión de higiene democrática.

XXXV

Más allá del Informe PISA

15 de enero del 2017

El debate sobre los resultados del último Informe del Programa Internacional para la Evaluación de Estudiantes o Informe PISA (por sus siglas en inglés: Programme for International Student Assessment) se está centrando, casi exclusivamente, en las preocupantes y, en algunos casos, escandalosas diferencias entre comunidades autónomas. Es razonable que sea así porque estas diferencias tan sustanciales en la educación de los españoles suponen un grave quebranto del principio de igualdad, uno de los fundamentos del Estado Social y Democrático de Derecho de nuestra Constitución de 1978, que acabamos de celebrar y, que últimamente, tantos, y con tanta insistencia, quieren reformar.

Aprovechando la publicación de estos resultados podrían considerarse las ventajas de que el Gobierno de España recuperara las competencias sobre Educación, una materia «estratégica» para el futuro de los ciudadanos españoles: un solo sistema educativo para todos, independientemente de nuestro lugar de residencia. Igualdad de oportunidades. Lo que no necesita del consenso o de las mayorías necesarias para una reforma constitucional es conocer más sobre los resultados de estos informes que, periódicamente, evalúan la educación que reciben nuestros hijos.

Me refiero que sería muy interesante y valioso que los padres de los alumnos que han realizado estas pruebas pudieran comparar los resultados de sus hijos con los de sus compañeros de clase, de centro educativo, de ciudad, de comunidad autónoma, de país. Si, por ejemplo, mi hijo hubiera obtenido 495 puntos en matemáticas, me gustaría saber cuál fue el puntaje máximo y mínimo en su misma clase, de todas las clases del mismo grado de su colegio y, compararlos, también, con los resultados máximos y mínimos en matemáticas (siguiendo con el ejemplo) obtenidos por los alumnos de su edad en nuestra comunidad autónoma, en España, etc...

Esta información, por razones obvias, sería muy valiosa para que padres y profesores pudiéramos enfocar los planes de mejora para nuestros hijos y alumnos y, también, un ejercicio básico de transparencia, de justicia, para poder reconocer el trabajo de los profesores y centros educativos que lo están haciendo bien, y para corregir el de aquellos que lo están haciendo mal. Porque en los grandes números uno se puede confundir y caer —fácil e injustamente— en la tentación de decir que algo está bien o mal cuando el número del resultado es «plural» en su composición, pues, incluso en las comunidades autónomas donde los resultados han sido (globalmente) un desastre, hay casos concretos de alumnos, de profesores y de centros educativos que han obtenido un puntaje destacable; y, también, al contrario, dentro de las grandes cifras de los buenos resultados se esconden situaciones concretas manifiestamente mejorables.

Y todos estos análisis serían posibles si-y-solo-si se entregara a los padres de los alumnos la información comparativa de los resultados de sus hijos. Y, todavía mejor, para todos, si se ampliara la muestra de los alumnos y de los centros educativos participantes. Los datos están y la tecnología para su procesamiento también. Lo único que falta es la decisión política de hacerlo, de ser más transparentes. Pensando en el interés general de los españoles, en nuestro futuro, porque lo que no se mide, lo que no se compara, difícilmente se podrá mejorar.

La diferencia entre los países pobres y los ricos no es la antigüedad del país. Así, India y Egipto tienen miles de años de antigüedad y son pobres. Por el contrario, Australia y Nueva Zelanda tienen poco más de cien años y son países desarrollados. La diferencia entre países pobres y ricos tampoco está en los recursos naturales con que cuentan. Japón tiene un territorio muy pequeño, el ochenta por ciento es montañoso y, sin embargo, es una potencia económica mundial. Su territorio es como una inmensa fábrica flotante que recibe materiales de todo el mundo y los exporta transformados. Básicamente, así logra su riqueza. También contamos con el ejemplo de Suiza, sin océano y con una de las flotas navieras más importantes del mundo. En sus pocos miles de kilómetros cuadrados, pastorea y cultiva sólo durante cuatro meses al año (el resto es crudo invierno) pero produce productos lácteos de la mejor calidad. Tampoco la inteligencia es la diferencia. Tenemos muchos ejemplos de estudiantes de países muy pobres que emigran a países ricos y obtienen excelentes resultados en su educación.

Entonces ¿qué es lo que marca la diferencia?... La actitud de las personas. Tan sencillo como observar y analizar el comportamiento humano: orden, honradez, responsabilidad, esfuerzo, trabajo, ambición, respeto... Por tanto, cada uno de nosotros tiene la oportunidad de contribuir de manera clara a una sociedad mejor: identificando y siendo más responsables y esforzados en el cumplimiento de nuestras obligaciones. Y las autoridades, el deber de crear las condiciones sociales, políticas, culturales y económicas que faciliten el desarrollo de las personas, de los ciudadanos, sobre todo, a través de un sistema educativo de calidad.

XXXVI

¿Carne o pescado?

5 de febrero del 2017

Tomándome un café con un amigo me contaba la situación surrealista que se vivió en la organización en la que trabaja, una pequeña empresa, con motivo de la cena de Navidad. No respetaban los plazos para elegir si carne o pescado, el restaurante no garantizaba la reserva si no se les comunicaba a tiempo la elección… Y todo esto en una interminable sucesión de correos que iban llegando cada vez en mayor número y más subidos de tono, cuyos remitentes y destinarios son un grupo de quince personas que trabajan en el mismo espacio físico y en el mismo horario… Finalmente, el jefe, con buen criterio, los reunió a todos para atajar y solucionar una situación donde, en ese momento, lo menos importante era la elección de «carne o pescado» sino el (latente) deterioro de las relaciones de trabajo de su equipo.

Cada vez es más común que muchas decisiones se tomen en equipo o, al menos, que quien tiene la responsabilidad final escuche a sus colaboradores antes de decidir. Es muy recomendable que, si vas a participar en la discusión de un tema, antes, te informes y lo entiendas bien. Mientras esto no ocurra es mejor optar por un papel secundario, si no podrías cometer, al menos, estos dos errores. El primero es que, si participas activamente en la discusión de un tema sin antes haberlo preparado, es muy

155

probable que entorpezcas el trabajo del equipo en su búsqueda de la mejor decisión. El segundo error es que, al participar en el debate con opiniones de escaso fundamento, no estás haciendo un buen trabajo para tu empresa, estás siendo desleal con tus compañeros, les estás haciendo perder el tiempo y, si este tipo de actitudes son frecuentes, más temprano que tarde, todos (jefes, compañeros, subordinados…) se percatarán de ello.

Tan grave como los errores anteriores sería no decir, oportunamente, algo que tú sabes que, con seguridad, sería una aportación valiosa para tomar una buena decisión. Si tienes la responsabilidad de dirigir, escucha a tus dirigidos, dedícales tiempo, para así mejor comprender sus planteamientos. Quizá una de las cosas que más valora y agradece un colaborador es sentirse escuchado por su jefe. Ya sé que no tienes tiempo… Quien tiene la responsabilidad de dirigir debe esforzarse, especialmente, por aprovechar mejor su tiempo para, así, poder estar más cerca de sus colaboradores y de sus clientes.

Y, mejor si es cara-a-cara. Reunirse favorece la comunicación entre personas. Como en nuestro caso de «carne o pescado». Los encuentros cara a cara no pueden ser desplazados por la comunicación telefónica, remota o virtual. Los nuevos modelos y esquemas de trabajo en las organizaciones recomiendan la reunión de los colaboradores para favorecer la sinergia. Ahora bien, no confundamos la velocidad con el tocino… Una reunión de trabajo no es una simple agrupación de personas que trabajan para la misma organización. La esencia de la reunión requiere de objetivos, método, hora de comienzo… y de finalización. Hace años tuve un jefe que asistía a las reuniones provisto de un reloj de arena, de tres minutos. Todas las intervenciones tenían ese límite temporal, salvo en asuntos excepcionales. Parece una excentricidad, pero sus reuniones eran mucho más breves y, lo más importante, más efectivas. Me ayudó a aprender a sintetizar y a valorar el aprovechamiento del tiempo.

Esa parece ser la función que el mundo moderno deja para los buenos directivos, la de hacer que las personas se conozcan, se ayuden, colaboren y trabajen en equipo. En equipos cuyos integrantes están y estarán separados por cientos de miles de kilómetros, aunque puedan estar virtualmente juntos. Con este panorama necesitamos personas dispuestas a ayudar a otras personas a llenar de contenido su trabajo, a entender la utilidad y finalidad de su labor, a colaborar con los demás y a sumar esfuerzos.

El liderazgo no se asume, se consigue. Se lo exigen al directivo sus propios colaboradores. Claro que, para ello, es necesario que el directivo forme parte natural del grupo humano que dirige, sea uno más... Uno más que orienta, orienta y orienta... En realidad, un directivo no debería hacer otra cosa que pasarse el día hablando con sus colaboradores. ¿Qué la organización es muy grande? Pues tendrá que viajar mucho y beber mucha agua, porque la necesitará para seguir hablando, orientando. Sólo así podrá tomar el pulso al día a día del entorno que dirige y adelantarse al cambio. El futuro no está, se hace. Y lo hacemos las personas.

Aunque suene a tópico, los colaboradores son la inversión más valiosa de la organización. Son los únicos cuyo techo en valor añadido es, cuando menos, desconocido; claro que también son los más costosos, los más delicados y los más difíciles de rentabilizar... porque hay que hablar con ellos. Y algunos directivos están tan preocupados por mandar y tienen tan poca

competencia que se han olvidado de hablar, de dirigir a sus colaboradores. Las tecnologías de la información nos están abriendo
de par en par el mundo de las comunicaciones, nos están llevando a situaciones técnicamente ilimitadas; pero no nos ofrecen
más que el soporte. La comunicación en sí queda en nuestra
mano. Y hasta que no se demuestre lo contrario: hablando se
entiende la gente.

XXXVII

Polvos y lodos

20 de febrero del 2017

Turquía continúa en la encrucijada de su identidad como nación a caballo entre oriente y occidente, el secularismo y la religión, la modernidad y la tradición. La palabra «turco» era el nombre de la tribu dominante de guerreros nómadas y significa «hombre fuerte». El símbolo otomano era la cola de caballo, cuantas más se mostraban delante de la tienda, mayor el rango. Dejar las cosas por escrito no formaba parte de las preocupaciones de sus gobernantes: eran nómadas. Sin embargo, afortunadamente, hay fuentes suficientes que documentan los hechos más relevantes de estos siglos de nuestra historia.

Constantinopla, la última capital del imperio romano, ocupaba una posición estratégica en el comercio mundial porque disponía del mejor puerto natural entre Europa y Asia. Por esta razón se convirtió en la capital del imperio que sucedió al romano, el otomano o turco, en 1453, y la posición estratégica de la ciudad sigue siendo evidente en la actualidad. En 1580 Constantinopla tenía setecientos cincuenta mil habitantes, mucho más grande que cualquier otra ciudad europea. Para que tengamos un punto de referencia sería como unas tres veces más grande que el París de la época.

El reinado de Solimán que iba a durar casi cincuenta años (1520-1566) fue el punto culminante del imperio otomano.

Nuestro Carlos I era el gran rival de Solimán. En esa época, los turcos llegaron hasta Roma provocando la huida del papa. Lo consiguieron, en parte, porque la «cristiandad» no era sólida. La Reforma había estallado en Alemania y extendido a Países Bajos comenzando largas guerras de religión: «mejor turco que papista» proclamaban algunos protestantes. La megalomanía estaba de moda. Y, también, la crueldad. Era la época de personajes como Vlad El Empalador (1431-1476). Vlad III, príncipe de Valaquia (hoy el sur de la actual Rumanía) era considerado un gobernante de una gran crueldad. El empalamiento que consistía en introducir por el recto un palo muy afilado y delgado, que después se empujaba con mucho cuidado y muy lentamente hacia arriba, evitando todos los órganos vitales. Para salir por el cuello de la víctima. Si el empalador se equivocaba, de manera que la víctima moría con rapidez, también era empalado... Consta que el soberano de Valaquia aplicó este castigo en miles de casos.

Y dos ejemplos más. Uno, a finales del siglo XVI, se extendió la costumbre de que cualquier chica que complaciese al sultán podía tener un hijo suyo, y si era varón, se la mantendría en una situación privilegiada. Si el hijo se convertía después en sultán, ella —como encarnación de la madrastra malvada— dirigía la ejecución de sus hermanastros, a veces niños pequeños, a los que el jefe de los jardineros (ésta era una de sus funciones) asfixiaba con un cordel de seda. Con la seda no se vertía sangre... Y dos: El patriarca ortodoxo era el terrateniente más grande del imperio y el cargo estaba muy disputado... Entre 1453 y 1918, sólo cuatro patriarcas murieron en la cama durante el ejercicio del cargo.

Norman Stone, profesor de Historia y autor de «Breve historia de Turquía», opina que existen muchos puntos de conexión entre Turquía y España: imperio mundial, con siete siglos de historia islámica y después una nación-estado marcada por la omnipresencia de los gobiernos militares. Turquía no sufrió una guerra civil como la española, pero su experiencia en la Primera Guerra Mundial presenta paralelismos escalofriantes. La guerra de seis años contra Rusia, iniciada en 1768, fue el principio del fin. Y puso punto y final al monopolio otomano del Mar Negro. Por su parte, la guerra de Crimea se considera la primera guerra moderna. Ya existía el telégrafo eléctrico que permitía informar cada día de los acontecimientos, y éste llegó a la propia Crimea en 1855. Algunas fuentes afirman que el zar Nicolás I se enteró en San Petersburgo de lo que estaba pasando por el «Times» de Londres. A partir de entonces, en los sucesivos conflictos bélicos, los periódicos adquirieron protagonismo y, también, la opinión pública.

La partición del imperio otomano es el origen de algunos de los actuales —y más importantes— conflictos de ámbito internacional: los estrechos para Rusia, Siria para Francia, Egipto y el petróleo de Irak para Gran Bretaña. En ese tiempo, el odio entre turcos y griegos había ido creciendo y la coexistencia era casi imposible. Los rusos pensaron que sus intereses quedarían mejor servidos por una Turquía débil. Hay autores que sostienen que la Primera Guerra Mundial se inició realmente en 1911 y terminó en 1923, y ambas fechas están relacionadas con asuntos turcos. El profesor Norman Stone, uno de los historiadores de referencia en este asunto, sostiene que el imperio otomano es un fantasma que persigue al mundo moderno. Desapareció del mapa al final de la Primera Guerra Mundial, y los vastos territorios que controlaba han vivido un problema detrás de otro. Opino que no le falta razón. Pensemos en lo que hoy está sucediendo en Palestina, Irak, Ucrania… o en Siria. Polvos y lodos, otra vez.

XXXVIII

Mejor con su abogado

3 de marzo del 2017

L a quiebra de Lehman Brothers desencadenó una debacle financiera a escala global de la que el mundo todavía no se ha recuperado. Su bancarrota no sólo acabó con un banco más que centenario y dejó una deuda de más de seiscientos mil millones de dólares, sino que, además puso a prueba aquello de «demasiado grande para caer» ... El Tesoro de los Estados Unidos de América optó por desechar este aforismo, por no rescatar a Lehman y por mostrar que ninguna entidad es demasiado grande para quebrar.

En España, la onda expansiva del pinchazo de la «burbuja» dejó al descubierto el agujero que se había generado en los balances de cajas y bancos, sobre todo por los créditos millonarios concedidos a los promotores inmobiliarios. Estas prácticas, desde el punto de vista contable, eran un engaño. Las entidades se anotaban como ingresos intereses que eran ficticios, de créditos que -sabían- que -difícilmente- iban a cobrar. Y no se anotaban las provisiones necesarias, la ratio de morosidad era incorrecto y se reflejaban beneficios irreales. Comenzaron entonces las prisas por buscar dinero, liquidez, pero los mercados estaban cerrados a cal y canto. A algún gurú de la ingeniería financiera se le ocurrió trasladar el agujero a los ahorradores: si los bancos necesitaban dinero qué mejor que captar el dinero de sus clientes, que lo tenían plácidamente guardado en depósitos a plazo fijo, y traspasarlo a preferentes, hipotecas multidivisa, obligaciones convertibles, depósitos estructurados, swaps, cláusulas suelo... Todos ellos, en leguaje cortesano, denominados productos financieros «asimétricos» que —en román paladino— quiere decir que la banca siempre gana y que el cliente, en la gran mayoría de los casos, pierde.

En el caso de las cláusulas suelo, en el año 2013, el Tribunal Supremo dictó una sentencia en la que limitaba los efectos de la retroactividad de la declaración de nulidad argumentando que, en caso de que los bancos tuvieran que reintegrar la totalidad de lo cobrado, la viabilidad del entonces recién rescatado sistema financiero podría ponerse en cuestión. La Comisión Europea en un documento que remitió al Tribunal de Justicia de la Unión Europea, en octubre del 2015, sostenía que el cese en el uso de una determinada cláusula nula por abusiva como consecuencia de una acción individual ejercitada por un consumidor no era compatible con una limitación de los efectos de dicha nulidad, y que, tampoco, era posible que un tribunal nacional pudiera moderar la devolución de las cantidades que hubiera pagado el consumidor en aplicación de una cláusula declarada nula desde el origen por defecto de información. Y así fue.

El Real Decreto-ley 1/2017, de 20 de enero, de medias urgentes de protección al consumidor en materia de cláusulas suelo pretende avanzar en las medidas dirigidas a la protección de los consumidores estableciendo un cauce que les facilite la posibilidad de llegar a acuerdos con las entidades de crédito con las que tengan suscrito un contrato de préstamo o crédito con garantía hipotecaria que solucionen las controversias que se pudieran suscitar como consecuencia de los últimos pronunciamientos judiciales en materia de cláusulas suelo y, en particular, la sentencia del Tribunal de Justicia de la Unión Europea de 21 de diciembre de 2016. Ahora bien, tras este fallo, el afectado no tiene, necesariamente, todas las de ganar si va a los tribunales porque el juez puede entender que el banco fue lo suficientemente transparente en la documentación que le entregó al cliente. E, igualmente, a través del procedimiento previsto en el decreto anteriormente mencionado. Ojo porque la casuística es enorme y, a veces, compleja: plazos, quién y cómo calcula el dinero cobrado de más, fórmulas sustitutivas, etc.

En ocasiones, algunos bancos actúan con displicencia o prepotencia ante las reclamaciones de sus clientes, no las responden o lo hacen a través de una carta tipo en la que te agradecen y dicen que lo van a ver, etc… Distinta es la atención y el trato cuando la reclamación se presenta, mediante asistencia letrada, advirtiendo de que en caso de no recibirse respuesta satisfactoria trasladará su escrito al Departamento de Conducta de Mercado y Reclamaciones del Banco de España o se presentará una demanda ante los tribunales de justicia. En estos casos, suelen correr y volar, llaman al cliente e intentan un acuerdo antes de que se abra el correspondiente expediente administrativo o se inicie el proceso judicial. Para muchas personas afectadas estas situaciones están siendo motivo de sufrimiento. Según los resultados del estudio «Finanzas y salud» las personas afectadas por un fraude bancario tienen un mayor riesgo de enfermedades cardiovasculares y metabólicas, depresión y crisis de ansiedad, un deterioro de la calidad del sueño y un empeoramiento de la calidad de vida. Los asesoramientos de «cuñados» y de «lo-leí-en-internet» suelen terminar mal, muy mal. Sólo un abogado puede ofrecer, en estos casos, un asesoramiento rápido y eficaz, profesional. Mejor con su abogado.

XXXIX

Hablar del agua no te moja

26 de marzo del 2017

《Las palabras convencen, el ejemplo arrastra», «se puede engañar a una persona muchas veces, engañar a muchas personas algunas veces, pero no se puede engañar a todos todo el tiempo». Estos dos refranes sintetizan el valor, la consecuencia y la falta de coherencia de nuestro actuar. Las palabras pueden ser bonitas, pero si no se respaldan con hechos, de nada sirven. Esta verdad la podemos y debemos aplicar en nuestra vida. En la convivencia con nuestros hijos es quizá donde nuestra falta de coherencia se manifiesta de manera más viva; a veces nuestros hijos pequeños ponen en evidencia nuestras flaquezas con alguna pregunta inocente... En nuestra relación de pareja, la manera más clara de ver nuestra falta de coherencia es preguntarnos ante cada circunstancia: «¿me gustaría que esto me lo hicieran o dijeran a mí?».

En lo profesional esta realidad se empieza a expandir en la medida que uno vaya asumiendo mayores responsabilidades: lo que hacemos o dejamos de hacer es visto por más personas y afecta a más personas. Ya no estamos expuestos a-la-pregunta-inocente de un hijo, pero no por ello nuestras faltas de coherencia se notan menos. Una empresa es una cadena donde tanto los buenos como los malos ejemplos tienen por lo general un efecto en cascada. Cada vez que el ámbito de influencia se amplía, la falta de coherencia se hace más evidente. Quizá donde esto se nota más es en el ámbito político donde se ofrece y promete con demasiada ligereza. Ya hace tiempo que la mayoría de las encuestas revelan la mala consideración social que, en general, tienen los políticos. Claramente la percepción de la mayoría de los ciudadanos es que las promesas no van acompañadas de hechos.

Nuestra falta de coherencia, en el fondo, no es sino una forma de engaño, la cual podrá ser intencionada o inconsciente pero no por ello deja de ser un engaño...Una parte de la solución a este problema está en esforzarnos por actuar de forma coherente. Pero también, como afectados por las incoherencias de otros, nos corresponde corregirles para darles la oportunidad de mejorar. Para lograr buenos cambios se requiere una adecuada dirección de personas. Los dirigentes más efectivos son aquellas personas capaces de desarrollar una visión de futuro para la organización y, además, hacerla realidad. Formular una visión de futuro en una empresa significa clarificar en dónde queremos estar en cuanto a segmentos de mercado a atender, líneas de productos y servicios, tecnologías, capacidades que nos distinguirán de otros, estilo de personas…También es útil preguntarse «dónde no se quiere estar». Nos ayuda a clarificar posiciones.

Vivimos en un tiempo donde los cambios sociales, políticos y económicos son frecuentes. Los cambios, en muchas organizaciones, son constantes. Unas personas se incorporan, otras se desvinculan, nuevas tecnologías, nuevas leyes, nuevos competidores. Quizá uno de los cambios más complejos para una organización sea mantener una estructura de acuerdo a su nivel de actividad económica. Los frecuentes vaivenes suelen traer consigo ajustes en los equipos de personas. Y las personas necesitamos una mínima estabilidad para realizar nuestro trabajo.

Los análisis para llegar a una propuesta incluyen la visión de futuro de la organización, la situación actual, las personas y el presupuesto disponible. Es muy recomendable contar con un especialista externo ya que estas modificaciones afectan a la estructura de poder y es complejo trabajar la propuesta con los afectados. En la práctica, este tipo de decisiones se suelen postergar. Y, si estos cambios no se realizan con rapidez, a veces, el remedio es peor que la enfermedad ya que los cambios en proceso agregan más inestabilidad a la situación general de cambios que se vive. Casi siempre, en estas situaciones, entre las personas, se genera una gran incertidumbre cuando se esperan cambios, pero estos no llegan. La incertidumbre se puede convertir en frustración o desánimo si no se gestionan bien las comunicaciones y se da rienda suelta a las filtraciones, chismes, fantasías… Postergar las decisiones de cambio suele ser más dañino que realizarlas aceleradamente.

Punta Arenas se encuentra en el extremo sur de la República de Chile. Varias veces tuve la suerte de visitar esta singular ciudad, por motivos de trabajo. Aunque tiene un clima inhóspito, sin embargo, la ciudad tiene su encanto y una historia novelable. Hasta la apertura del Canal de Panamá fue el principal puerto de comunicación entre los océanos Pacífico y Atlántico, a través del Estrecho de Magallanes. Hoy es el centro comercial y turístico más importante del extremo austral de Sudamérica. Imágenes de grandes transatlánticos que navegan junto a los pingüinos son habituales. En este entorno escuché la siguiente historia: «Treinta pingüinos están sobre ese iceberg que flota en medio del océano. Uno decide tirarse al agua. ¿Cuántos quedan? ¿Veintinueve?... Te equivocaste. Quedan los mismos treinta porque no es lo mismo decidir hacer algo que hacerlo». O, dicho con otras palabras: hablar-del-agua-no-te-moja, es necesario tirarse a la piscina. Este recuerdo me sirve para tener presente la importancia de actuar, de hacer, de emprender, de no caer en la parálisis por un excesivo análisis.

XL

La educación digital de los hijos

4 de abril del 2017

L a Federación de Castilla y León de Fútbol ha impulsado la puesta en marcha de escuelas de padres para prevenir la violencia en el fútbol base. Lamentablemente, algunas de estas situaciones tienen su origen en los propios padres de los jugadores como cuando someten a una enorme presión a sus hijos, o el comportamiento excesivamente violento (verbal y físico) para árbitros, entrenadores, jugadores o, incluso, hacia otros padres. Los padres no deben ser un elemento desequilibrante en el proceso de iniciación deportiva de sus hijos. Por el contrario, deben ser los verdaderos inductores del ambiente que propicie el desarrollo integral de sus hijos brindando su apoyo y comprensión.

El Club Atlético Reino de León, desde sus inicios, ha programado diversas actividades dirigidas a los padres de sus jugadores que desearan formarse en la difícil y, a la vez, apasionante tarea de formar y educar a sus hijos. Así, surgió su «Escuela de Padres» con periódicas charlas-coloquio que pretenden contribuir a cubrir vacíos de información, aclarar ideas imprecisas, ofrecer consejos prácticos, proponer actividades padre-hijo que favorezcan la comunicación entre ellos, etc. En definitiva, abrir un espacio común de diálogo para todas aquellas personas que quieran —al menos, intentarlo— ser mejores padres. El miércoles

22 de marzo me invitaron a que les hablara sobre el rol de los padres en la educación digital de sus hijos y fue una experiencia muy interesante, sobre todo, porque tuve una oportunidad para compartir experiencias en un asunto clave para la educación de nuestros hijos.

Nos encontramos ante la integración creciente —e imparable— del uso de las tecnologías de la información y la comunicación (TICS) como herramientas de apoyo al proceso de enseñanza y aprendizaje de los alumnos. Algunos profesores ya están trabajando en ello. Es clave que los padres también nos formemos. Los profesores sólo cubren el horario escolar. Los padres lo somos 24 horas. Es necesaria nuestra urgente —vamos tarde— incorporación a este proceso, de tal manera que nuestra colaboración resulte eficaz. Es fundamental para el éxito de este proceso. Ello requiere que los padres tomemos conciencia de nuestra necesaria «alfabetización digital». Por ignorancia, el uso de las TICS es percibida, muchas veces, como una amenaza. Y así surgen las dificultades, los problemas.

Nuestros hijos son «nativos digitales». ¿Qué quiere decir esto? No entienden la vida de otra manera. Es su manera de aprender, de relacionarse. Nuestros hijos son tecnófilos. Ellos no han nacido con el concepto de «filtro». Tu preguntabas, te recomendaban un buen libro, o te informaban mediante una conversación. Ellos no, ellos encuentran respuestas a todas sus preguntas en internet. Además, buscan su identidad real en las redes sociales donde las identidades pueden ser falsas y, para ellos, sin embargo, son «los» modelos. Ya no sólo son sus padres. Ahora compiten, por ejemplo, con los «youtubers». Sus relaciones sociales son, en muchos casos, virtuales no personales. Hablan, se enamoran, se pelean, se reconcilian… Ventajas para ellos: nadie me da la «chapa», es mi zona de confort, mi entorno seguro. No tengo que aguantar las preguntas de mis padres: «¿por qué me preguntas?» «¿para qué me preguntas?».

Recordad como era la adolescencia, por ejemplo, hace 40 años: vida social en la calle de nuestro barrio, consulta de libros en la biblioteca pública, la enciclopedia en casa, fotos, posters, folletos, imaginación...Y siempre bajo la supervisión de nuestros mayores, de nuestra gente. Las nuevas tecnologías son un universo de posibilidades que, bien administrado, nos hacen más fácil la aventura de vivir. Pensad en lo que supone una tableta conectada a la red: videos, acceso a bibliotecas, a cursos (muchas veces gratuitos) de idiomas, de la universidad de Harvard...

La mayoría de los padres con hijos menores de edad desconocen el mundo virtual en el que viven sus hijos. Han oído hablar y seguro que, mayoritariamente, utilizan Wasap, Facebook, Instagram y, en menor medida, Twitter. Y también, seguramente, casi ninguno utilice Snapchat y, es más, ni siquiera sepa lo que es... Y esto sería un problema porque, precisamente, ésta es la red más utilizada por los menores de estas edades. ¿Por qué? Pues porque las publicaciones sólo se pueden visualizar durante unos segundos, no se pueden guardar: no dejan huella.

¿Qué hacer? Según los expertos, los temas claves para promover el uso seguro y responsable de internet entre los menores son «netiqueta», privacidad, virus y fraudes y las consecuencias de un uso excesivo. Y concretando y dependiendo de la edad. Con los más pequeños: acompañar, prestar atención a lo que hace mientras está conectado; supervisar, acompañarle durante la búsqueda y su aprendizaje, elegir contenidos apropiados a su edad. Con los más mayores: dialogar sobre el uso de internet y el comportamiento seguro y responsable. Crear un clima de confianza y respeto mutuo. Que se sienta cómodo solicitando tu ayuda. Dialoga, interésate por lo que hace en línea, conoce su actividad en redes sociales. Enséñale a pensar sobre lo que encuentra en línea.

Y, muy importante: sé el mejor ejemplo. Busca la desconexión, fomenta la comunicación familiar. Existen ya iniciativas en algunos países europeos para regular las horas de conexión a internet. El lado bueno de este tipo de propuestas es que empezamos a tomar conciencia del efecto invasor de internet en nuestras vidas. Lo que es un medio maravilloso y potente de información, diversión, comunicación, educación o aprendizaje va camino de transformarse en un monstruo tentacular que invade sin ningún tipo de reparo tertulias, relaciones y reuniones. Conviene tener momento de desconexión real, total. Como, por ejemplo, en las comidas familiares, que tienen una gran importancia: ahí es donde se transmiten las buenas prácticas, los valores, la cultura.

XLI

Comer en familia

27 de abril del 2017

Llevamos un ritmo de vida tan ajetreado que estamos perdiendo costumbres tan buenas como las comidas en familia. Pensar que, entre semana, padres e hijos podamos comer juntos nos parece una idea imposible. Es clara la influencia positiva de estos momentos de intimidad familiar sobre el desarrollo de los hijos y las relaciones entre los miembros de la familia, especialmente para los adolescentes. Hábitos tan saludables como el comer en familia o la sobremesa no están suficientemente valorados. Es cierto que, en algunos casos, nuestras actividades exigen largos desplazamientos, horarios difíciles, etc., que hacen muy difícil reunir a la familia a diario.

Quizá si conociéramos sus beneficios, nos esforzaríamos más por pasar juntos cuantos más momentos mejor. La comida en familia nos permite comer saludablemente, contarnos unos a otros cómo nos ha ido el día, escucharnos a los demás y estrechar los lazos familiares. Especialmente con nuestros hijos adolescentes, estos momentos pueden ser definitivos para crear un clima de comunicación y de confianza con ellos. Los padres también somos responsables de preparar a nuestros hijos para la vida social, personas que se distingan por su trato agradable. Por sus buenas maneras. Imprescindible para su futura relación con los clientes. Las buenas maneras en la mesa es un tema de interés para muchas organizaciones, empresas.

Comer familia también enseña a mantener una conversación, a escuchar y a contar. Además, y esto es especialmente relevante, las comidas son ocasiones naturales para asimilar la historia y los valores de la familia, y a aplicar estos valores en la vida cotidiana, con las contrariedades y oportunidades del día a día. Estar atento a las necesidades de los demás, levantar el ánimo con una anécdota divertida, generosidad para dejar a otro la mejor porción de postre... Tanto los mayores como los pequeños ayudan a preparar la comida, a quitar la mesa, a fregar los platos, a servir a los demás. La comida familiar nutre necesidades biológicas y sociales básicas. Nos permite realizar aquello en que consiste ser una familia: cuidamos unos de otros, compartimos cosas, recorremos junto el camino de la vida. Los recuerdos más significativos de nuestra infancia suelen ser —o no— el cariño mutuo, el compartir, el pasar el tiempo juntos. Quizá a diario no sea posible, pero hemos de intentar reservar, al menos, todas las cenas y los fines de semana. Comer juntos no lo es todo para la intimidad y el bienestar familiar, pero sin duda es una parte importante. Hace cincuenta años también había padres con extensos horarios de trabajo, que viajaban mucho, y madres que trabajaban fuera de casa. Y ya entonces también había quienes tenían la costumbre de tomar algo antes de volver a casa...

Una norma básica para que una comida familiar sea digna de tal nombre: sin intrusos, sin televisión, sin teléfonos... sin distracciones electrónicas. La comida familiar es sin duda el entorno ideal para aprender a comportarse en la mesa. Desde pequeños los niños aprenderán de sus padres e irán adquiriendo el hábito de las buenas maneras. Cosas tan elementales como qué cantidad es razonable servirse o en qué consiste una comida equilibrada, a hacer pausas para participar en la conversación, comer de todo... También una protección natural contra la obesidad, la anorexia y otros trastornos alimentarios, hoy tan de moda. Comer en familia también enseña a los niños a mantener una conversación, a escuchar, a contar. También es una fuente de aprendizaje de vocabulario y cultura general.

A las tradicionales causas sobre por qué cada vez es más difícil comer juntos hay que añadir el excesivo número de actividades extra escolares de los hijos: artes marciales, letón, natación sincronizada, oboe… La verdad es que también hay algo, o mucho, de comodidad. Y, por supuesto, no todos estamos dispuestos a reconocerlo. Prefiero comer cerca de la oficina, tomarme una copa con los compañeros y llegar a casa cuando los niños estén dormidos… En fin, son tan pequeños. Ya les dedicaré tiempo cuando sean mayores… La cohesión familiar está en peligro, pero, fundamentalmente, por peligros internos, por nosotros, por nuestra comodidad y egoísmo. En bastantes casos no hay diferencias entre algunas familias y compañeros de piso. No nos escudemos en la política social de algunas autoridades, la influencia de los medios de comunicación u otras lindezas… ¿Haces todo lo posible por comer, al menos, varios días con tu familia? ¿Te compensa el esfuerzo, lo tienes claro? Empecemos por aquí.

XLII

Estudiantes que estudien

31 de mayo del 2017

L a universidad fue, durante años, el reducto de esperanza de lo que tarde o temprano habría de venir. Hoy, y desde hace décadas, se ha convertido en un producto-de-primera-necesidad. Y, periódicamente, cuestionada porque —dicen— «no sirve para nada» ... Las urgencias de nuestra sociedad han sustituido el pensar por el hacer: «¿qué sentido tiene financiar una institución dedicada al pensamiento en una sociedad que no tiene tiempo para pensar porque tiene mucho que hacer?».

La universidad ha de convertirse en el lugar donde se aprenda a ejercer un modo de ser. La mentalidad universitaria no se puede impartir. No es un saber técnico que se pueda endosar mediante instrucciones o reglamentos. La enseñanza es un contagio; se trata de contagiar una afición y, para eso, es imprescindible, ante todo, tenerla. La clave está en que el profesor transmita al alumno esa sensación de que lo que hace también lo haría gratis, porque le gusta. A la hora de la verdad, la educación tiene como protagonista al profesor. «Personalizar» la enseñanza no es llegar a una relación profesor-alumno que permita al primero adivinar los pensamientos del segundo, o viceversa; supone establecer una relación que permita plantear el trabajo como un esfuerzo conjunto, que sitúe a cada alumno no sólo más cerca del profesor, sino —sobre todo— en una relación más personal con los demás alumnos.

Pero, en general, la realidad es otra cosa... Los exámenes siguen siendo hoy, dueños y señores de la universidad. La clase sólo es un mero anuncio de lo que se llevará al examen. La única variante posible de esta conversación es si el examen escrito será o no en forma de test...Además, el estudiante continúa erre-que-erre con la vieja reivindicación de «una asignatura, un libro». Una de las principales preocupaciones del estudiante es enterarse de cuál es «el libro» de cada profesor. Y, a falta de éste, aspirará a contar, al menos, con unos apuntes que le sirvan de sucedáneo («¿Puede usted repetir?»). Parece, pues, que, a algunos estudiantes, el único «saber» que realmente les interesa es el saber a qué atenerse...Muchos estudiantes no saben leer, ni parece importarles. Leer poco, clarito, en castellano y a poder ser en letra grande. El déficit de lectura y el progresivo aumento de la formación audiovisual va haciendo estragos.

A la universidad sigue llegando todo hijo de vecino, sea cual sea su capacidad intelectual. Pero el resultado final, si no es justo, es al menos igualitario: todos los que entraron reciben una titulación, en muchos casos, insuficiente para trabajar. Lo de menos es cómo funcione el servicio, lo importante, eso sí, es que sea ¨público». Pero esta derivada da para otra reflexión. El único modo eficaz de garantizar que ningún talento quede fuera es, por lo visto, que no quede fuera nadie... Si todo el mundo es bueno para entrar en la universidad, todo el mundo será bueno para seguir en ella hasta terminar una carrera. Todo parece resuelto: el modelo garantiza la igualdad de acceso (nada de selectividad) y la igualdad de salida (nada de cursos o asignaturas selectivos). Sin embargo, en nuestra universidad existe, por supuesto, selectividad a pesar del tabú imperante. Y, en mi opinión, tal selectividad es injusta e irracional. No hay trabajo para todos. Y dado que los títulos no seleccionan, la selección se impondrá por otros criterios, «el día después», a través de las relaciones familiares o políticas.

Los motivos que aconsejan una selección del alumnado son, al menos, estos: Uno, falta de capacidad de todos los ciudadanos para poder asumir el nivel de exigencia que a enseñanza «superior» lleva consigo. Dos, falta de capacidad de los centros para albergar a todos los peticionarios, sin renunciar a llevar a cabo en su integridad la tarea que justifica dicha demanda. Y tres, falta de capacidad de la sociedad, para ofrecer a todos los titulados el puesto profesional a que su formación prometía encaminarles, ocasionando así frustraciones personales y derroche de recursos.

Por último, urge favorecer que el estudiante sea capaz de dar sentido profesional a su trabajo, y que —con sus derechos— se sienta comprometido a asumir sus responsabilidades cívicas. Todavía se sigue escuchando aquello de si tu hijo estudia o trabaja… Se entiende que estudiar no es trabajar, ni ser estudiante asumir hábitos y responsabilidades profesionales. La verdad, y lo afirmo con tristeza (pensando en su bien), algunos viven en una especie de minoría de edad hibernada. Un ejemplo: el trabajador que acude a la huelga asume un claro sacrificio: pierde su correspondiente salario, le cuesta dinero. Esto garantiza que este derecho fundamental se ejerza con responsabilidad y prudencia. Sin embargo, el estudiante que aclama en asamblea la propuesta de una huelga, no se juega un colín. De hecho, está utilizando como pintoresco medio de protesta las vacaciones pagadas. El derecho de huelga ejercicio en esas condiciones es, cuando menos, curioso… Y otro ejemplo más: la ingeniería académica construye puentes por delante o por detrás mientras los trabajadores-de-verdad siguen faenando. Si algún profesor insinuara que dará por explicada la correspondiente parte del programa, será acusado de recurrir a intolerables represalias «fascistas».

Conceptualmente, la calificación de la enseñanza universitaria como «enseñanza superior» marca un salto cualitativo respecto a los estudios «medios»: profesor y alumnos acuden a clase, con la lección bien leída, dispuestos a abrir un diálogo crítico —capaz de aumentar la comprensión de lo ya estudiado— a descubrir problemas ocultos bajo las soluciones hasta ahora conocidas y a abrir posibles nuevas vías de enfoque. A la enseñanza superior se le supone un nuevo modo de trabajar. Visto lo visto, este tipo de enseñanza superior no es más que una enseñanza «posterior». Mejor llamar a las cosas por su nombre.

XLIII

El hilo negro

11 de junio del 2017

E l contexto político actual en el que operan empresas y organizaciones de todo tipo, en Europa y en América, está impregnado por el fenómeno de los populismos. Es previsible que la lógica populista tenga un impacto cada vez mayor en la sociedad a medio y largo plazo. Por un lado, más allá de su manifestación en movimientos o partidos políticos, de izquierdas o de derechas, que llegan al poder o a ocupar un espacio político relevante en determinados países de nuestro entorno, los populismos son manifestaciones de profundas tensiones sociales, culturales y económicas, que exigen un discernimiento cabal de sus causas y de sus consecuencias profundas.

Históricamente las revoluciones sociales han cristalizado en demandas sociales irrenunciables que han transformado el marco de acción de las instituciones. Las políticas populistas concretas, las que se viven hoy y ahora en muchos países, tienen ya de hecho efectos múltiples en la vida y en la actividad de las empresas y de las organizaciones, que deben de buscar el modo de seguir cumpliendo con su misión en un entorno cada vez más complejo y a menudo adverso. Sin embargo, convivir con los populismos exige a las empresas, a las organizaciones, reflexionar sobre esta realidad y plantearse qué son los populismos, cómo han surgido, cuál es el horizonte futuro del impacto de los populismos en la sociedad, o si están preparadas para afrontar sus retos y desafíos.

Gracias al Instituto de Empresa y Humanismo de la Facultad de Ciencias Económicas y Empresariales de la Universidad de Navarra he participado en un coloquio sobre estos asuntos que ha sido una verdadera oportunidad para aprender, para generar un intercambio de ideas entre académicos y empresarios, y participar en una discusión y un debate de altura. Pararse a pensar y a reflexionar sobre temas de fondo que ayudan a entender los retos y desafíos que se plantean en nuestra sociedad tiene un valor incalculable en la intensa y frenética vida de los responsables de empresas y organizaciones.

Estos movimientos tienen su origen en demandas insatisfechas, promesas incumplidas y, en mi opinión, sobre todo, en la quiebra moral del capitalismo financiero. Demasiadas personas se han sentido —y se sienten— abandonadas, decepcionadas. Los diagnósticos populistas suelen tener puntos de anclaje ciertos en la realidad. El verdadero problema está en sus soluciones. Comparto el diagnóstico que realizan estos abanderados, pero no sus soluciones mágicas. De entrada, no creo en soluciones simples para problemas complejos. Y, menos aún, que pretendan presentarlas como históricamente novedosas. Me niego a reconocerles el-valor-de-la-novedad, fundamentalmente, porque no es verdad. La mayoría de las soluciones que estos señores presentan son más antiguas que el hilo negro: tan fácil como releer a Marx, Engels, Lenin, Gramsci… Y, más recientemente, a Chaves o al inefable Maduro (en este caso ya que no es posible leerle —es un personaje ágrafo— nos tendremos que conformar con escucharle…).

Los escritos que inspiraron la revolución Rusa, la Cubana, la Sandinista o la Bolivariana están trufados de estas mismas «soluciones». Cualesquiera de estos movimientos sociales no sólo no han solucionado los problemas que dijeron que iban a solucionar, sino que han sido una desgracia para la humanidad. En España, muchas de las lindezas, ocurrencias y «novedades» de nuestros populistas de turno se pueden encontrar, literalmente, en los diálogos de los personajes de la novela «Los cipreses creen en Dios» de José María Gironella, una crónica de la Segunda República, una de las novelas más leídas del siglo XX. Menuda «novedad» ...

La política como teatro, espectáculo, es una degeneración. Política sin ideas, sin presupuestos concretos para transformar el mundo, no es política. Nuestro Estado social y democrático de derecho sigue siendo mejor sistema para el desarrollo de España. Necesitamos —eso sí— fortalecer nuestras instituciones para que huyan del cortoplacismo, de los intereses de partido y tomen decisiones racionales, justas. Conformar una nueva generación de dirigentes, públicos y privados, que conozcan y comprendan a fondo las dimensiones fundamentales de las organizaciones, de tal manera que puedan vivir la práctica del gobierno con una visión amplia y humanista. Que entiendan el sentido de servicio que define la acción de gobierno. Saber gobernar es saber servir.

XLIV

Despatarre fiscal

18 de junio del 2017

Estaba recuperándome de la impresión por la penúltima indicación de los gurús de la ideología de género sobre cómo debe sentarse un hombre para evitar el «despatarre», cuando se hizo pública la sentencia del Tribunal Constitucional que ha declarado contraria a la Carta Magna la conocida como «amnistía fiscal», medida que permitió la regularización de rentas no declaradas a un tipo reducido del 10% sin exigencia de intereses, recargos ni sanciones. Ha sido declarada inconstitucional por haber utilizado un Real Decreto-Ley en un caso en el que se afectaba, de forma relevante, el deber de contribuir al sostenimiento de los gastos públicos.

El Tribunal Constitucional ha desestimado la argumentación del Gobierno de Rajoy de que la medida y su aprobación por vía de urgencia se justificaban por la situación extrema de las cuentas del Estado, al entender que la regularización afectó al precepto constitucional de que todos los españoles contribuyan al sostenimiento del gasto público. No es la primera vez que, recientemente, los gobiernos del Partido Popular reciben una colleja («jurídica», pero colleja al fin) por la forma de tramitar leyes. Así, el año pasado el Tribunal Supremo anuló el reparto del déficit autonómico del año 2013 porque no siguió el procedimiento adecuado en su tramitación. Ay-ay-ay, es que las prisas nunca han sido buenas consejeras.

El Tribunal Constitucional recuerda al Gobierno cuál es su capacidad reguladora en materia tributaria. La potestad de establecer los tributos corresponde al poder legislativo, aunque, sin embargo, se admite que, en circunstancias excepcionales, el poder ejecutivo pueda tomar decisiones de este tipo, pero condicionadas a su rápida convalidación por las Cortes Generales. Pero esta capacidad tiene límites: no puede afectar a la esencia misma del deber de contribuir al sostenimiento de los gastos públicos alterando el modo de reparto de la carga tributaria que debe corresponder a la generalidad de los contribuyentes. En pocas palabras, lo que el Tribunal Constitucional dice es que el Gobierno de Rajoy se ha extralimitado en sus competencias invadiendo las de las Cortes Generales. O en expresión de moda, una especie de «despatarre fiscal» ...

Un aspecto polémico de esta sentencia es que no permite que sean revisadas las situaciones jurídico-tributarias firmes producidas al amparo del desautorizado Decreto-Ley. Y ello según su particular interpretación del principio de seguridad jurídica. Una salomónica decisión que ha intentado conciliar el principio de legalidad (respeto a los procedimientos) y el principio de seguridad jurídica (estabilidad y confianza en las relaciones jurídicas). Pero, más allá de disquisiciones jurídicas, para el común de los mortales, esta decisión es escandalosa, injusta. Una porque muchos de los protagonistas de los principales casos de corrupción se acogieron a esta amnistía fiscal que les permitió regularizar su situación a pesar de que incumplieron su deber de tributar de acuerdo a su capacidad económica, con exoneración de sanciones y recargos: una medida injusta porque les coloca en una situación más favorable que la de quienes cumplieron voluntariamente, y en plazo, su obligación de contribuir. Y dos, porque —en mi opinión— la mejor doctrina de Teoría del

Derecho sostiene que si algo es nulo, lo ha sido desde siempre y no debe producir ningún efecto. Es posible que éste sea uno de los aspectos más polémicos de la sentencia, como así lo fue en el caso de la sentencia del Tribunal de Supremo de 9 de mayo del 2013, sobre las cláusulas suelo, al impedir la devolución, con carácter retroactivo, de las sumas indebidamente pagadas por los prestatarios con origen en las cláusulas declaradas nulas por abusivas. Sin embargo, la sentencia del Tribunal de Justicia de la Unión Europea, de 21 de diciembre de 2016, determinó que lo que es nulo, lo es a todos los efectos, por lo que la situación debía quedar íntegramente restaurada como si el acto jurídico anulado no hubiera existido.

Pero, es cierto, que el único competente para interpretar la constitucionalidad de nuestras leyes es el Tribunal Constitucional. Lo demás son opiniones, más o menos razonables, pero siempre opiniones. Sin embargo, lo que en buena democracia no es opinable es que la sentencia no tenga efecto alguno en el ámbito político, que nadie asuma responsabilidades políticas. Alarmante. La falta de credibilidad en la política y en los políticos ha llevado a que muchos ciudadanos no tengan interés en participar, ni siquiera votando. La gente normal ve a los políticos lejos de la realidad; y muchas de sus acciones, aun siendo legales, se perciben como poco éticas. La responsabilidad política como asunto de ética no se considera. Las dimisiones son rarísimas y casi nadie asume responsabilidades por la función que desempeña. En la opinión de la mayoría (y así lo confirman las encuestas), la credibilidad o la falta de ella, se forma lentamente en el tiempo y generalmente no está asociada a un suceso específico, sino a un cúmulo de acontecimientos o detalles que alimentan la confianza o desconfianza. La credibilidad ha pasado a ser uno de los aspectos fundamentales de la relación del individuo con la sociedad. Se trata, en definitiva, de la confianza que tiene el ser humano en sus semejantes e instituciones con quienes se relaciona.

La política necesita aire fresco y sabio. Y esto no es cuestión de edades sino de ideas. Algunas de las propuestas de estos jóvenes políticos de moda son más antiguas que la rueda: a sus hechos me remito. La demagogia y la mentira prenden con mucha facilidad en situaciones como la que actualmente atraviesa España. Quizá España necesite un nuevo contrato social. O no. O baste con mejoras, con nuevas formas de hacer políticas capaces de construir un proyecto de futuro que genere ilusión a la mayoría de los ciudadanos. Donde lo importante sea el contenido, el qué se hace y el cómo se hace. En fin, hay otras formas, alternativas, de hacer las cosas: por el bien de España.

XLV

La huella de Roma

28 de junio del 2017

Acabo de leer la última novela de mi amigo Pedro José Villanueva, «La huella de Roma. Oro». Tres jóvenes de nuestro tiempo Lucía, Daniel e Izán inician su aventura en el entorno del Castro de Degaña, en los montes de Fondos de Vega, cerca de Larón, en el Concejo de Cangas del Narcea, un espacio denominado «La Cabuerca», un lugar donde hay restos de explotación de oro por los romanos. Cerca del hoy Parque Natural de las Fuentes del Narcea. Caen en un pozo. Viajando en el tiempo. Tan actual, tan siempre de moda. Otro deseo permanente, como volar. Descubren que estaban en el monte Medulium, en Bergidum, cerca de Asturica Augusta, en el año 78. Época en que la explotación de Las Médulas estaba a pleno rendimiento. «Aurum»: oro del imperio, oro que servía para comprar toda clase de utensilios, para pagar la tropa y para mantener, en definitiva, tan vasto imperio.

Y como señala la historiadora Josefina Velasco, autora del prólogo, la habilidad de Pedro José Villanueva consiste en que, a través de su relato, nos enteramos de cómo vestían, comían, se divertían, trabajaban, en qué casas vivían y cómo se relacionaban entre sí romanos y lugareños. Los romanos dejaron vivir a los pueblos a cambio de su trabajo, sus tributos, su sometimiento. Al final, dominador y dominado aprendieron a vivir unos de otros. ¡Qué suerte tenemos de vivir en un entorno donde la Historia, en cualquier momento, nos sale al encuentro! De ver y tocar la huella de Roma. En mi opinión, su mayor obra fue su filosofía, su derecho, su idea del hombre y de su dignidad que el cristianismo perfeccionó acabando con las distinciones entre ciudadanos y esclavos, considerando a todos los hombres como iguales y con una misma dignidad en cuanto criaturas e hijos de Dios.

Aunque son más tangibles las obras públicas e industriales. Los sistemas de extracción del aceite. O los del filtrado del oro y otros minerales con el agua de nuestros montes, como evoca la novela antes mencionada. O la explotación de la madera de los bosques y el uso de los ríos para su arrastre a través del sistema de descenso por flotación. Me encanta reflexionar sobre los romanos y su cultura del agua. Son memorables las termas y baños de las ciudades romanas. Cada barrio contaba con su baño y, a veces, con varios. Los baños eran públicos y los hombres solían acudir por la mañana y las mujeres y los niños por la tarde. O las calzadas romanas a través de las cuales el viajero podía llegar a Roma desde las principales ciudades del Imperio Romano, por lejos que éstas se encontraran. Quien recorría una calzada romana encontraba una piedra miliar numerada cada mil cuatrocientos setenta metros. Si iba provisto del itinerario, equivalente a nuestro actual mapa de carreteras, podía calcular la distancia hasta la siguiente venta. Qué maravilla. Los excelentes ingenieros romanos no se arredraban por las dificultades técnicas. Abordaban con éxito puentes, acueductos, pantanos, sistemas de irrigación, puertos e incluso complejos sistemas de drenaje para desecar zonas pantanosas. Todavía causan admiración obras como el puente de Alcántara en Cáceres, el Acueducto de Segovia, la Torre de Hércules en La Coruña o el canal de unos cuarenta y tres kilómetros de longitud recientemente descubierto en La Cabrera y que, según los expertos, abastecía a Las Médulas.

El material arqueológico también prueba que Hispania se convirtió en la principal región aceitera del Imperio. El aceite llegaba a Roma y hasta los confines del Imperio. Lo sabemos por las ánforas. Sobre este particular escribe, magistralmente, Juan Eslava Galán en su libro «Viaje por el Guadalquivir y su historia», un libro también muy recomendable. En la Antigüedad el vino, el aceite, las conservas de pescado y hasta el grano se transportaban en grandes ánforas. Muchas de estas grandes vasijas de barro se han encontrado en las excavaciones y entre los restos de los barcos naufragados. Básicamente existen dos clases de ánforas: las panzudas, casi esféricas, llamadas olearias porque servían para envasar aceite, y las vinarias o de vino, que son estilizadas y acaban en punta. La punta servía para inmovilizarlas, clavadas sobre el lastre de arena que cubría las bodegas de los barcos. Cada ánfora lleva la «figlina» o sello del alfarero en un asa y, además, una serie de inscripciones a tinta y pincel, en letra cursiva, los llamados «tituli picti», en los que se consigna el peso del envase, el peso del aceite, el nombre del productor y otros datos fiscales. En leguaje actual se denominaría código de barras… Olearias procedentes de la Bética se encuentran en puntos tan distantes como Inglaterra y la India, lo que prueba que nuestro aceite llegaba hasta los confines del Imperio aunque el mayor consumidor de aceite era la propia Roma, que necesitaba mucho para la Annona, una especie de seguridad social de la época que se concretaba en el reparto gratuito de alimentos, y también de espectáculos públicos, mediante el que los emperadores se aseguraban la lealtad de la plebe: panen et circenses…

En fin, la importancia de recuperar y promover la cultura clásica en nuestros planes de estudio. Ya sé, ya sé, que para algunos estudiar la historia y la lengua de Roma no-sirve-para-nada. Vieja polémica. Rebatirlo es materia para otra reflexión. Mientras tanto una anécdota: cuentan que, en cierta ocasión, José Solís Ruiz, ministro de Trabajo de un Gobierno del General Franco, y natural de Cabra (Córdoba), le discutía al rector de la Universidad Complutense, profesor Muñoz Alonso, para qué servía el latín. El profesor le respondió: «Por lo pronto, señor ministro, para que, a Su Señoría, que ha nacido en Cabra, le llamen egabrense y no otra cosa».

XLVI

Cláusulas nulas por abusivas

9 de julio del 2017

Todo comenzó con las hipotecas subprime, que en los Estados Unidos eran aquéllas en las que el prestatario contaba con antecedentes de impago, retrasos o no constaba su capacidad de pago por no haber pedido créditos en el pasado; la cuota de amortización era elevada respecto al salario, o la proporción del préstamo era muy alta con relación al valor de la vivienda. Las consecuencias de la toxicidad de este tipo de «préstamos» se extendió a España a través de la titulización de los créditos: un sistema de financiación para las entidades de crédito a través de una compleja cesión de los derechos de cobro sobre su cartera de préstamos hipotecarios. Así la crisis se contagió desde el mundo financiero al económico quedando atrás la actividad típica bancaria y las reglas más elementales del «arte de prestar». Los problemas surgieron cuando la banca comercial se contaminó con malas prácticas de la banca de inversión, cuyos directivos no contaban con la paciencia para percibir sus beneficios según se amortizara el préstamo hipotecario, pues lo que pretendían es «maximizar beneficios», es decir, ganar mucho dinero, como sea, lo más rápido posible, cuanto antes: aquí-te-pillo, aquí-te-mato.

Contratar una hipoteca es una de las decisiones financieras más importantes en la vida de una persona, ya que implica un compromiso financiero que puede durar décadas. En nuestro país, según datos del Banco de España, aproximadamente el 97% de los préstamos hipotecarios concedidos por las entidades de crédito eran a tipo variable. De los préstamos a tipo variable, un tercio, aproximadamente, contaba con la cláusula suelo, lo que impedía a los prestatarios beneficiarse plenamente de la bajada del índice de referencia más extendido, el Euribor a un año. La cláusula suelo es lícita en términos generales, como ha admitido el Tribunal Supremo: para limitar los efectos de las eventuales oscilaciones del interés de referencia, pueden estipularse limitaciones al alza —las denominadas cláusulas techo— y a la baja —las llamadas cláusulas suelo—, que operan como topes máximo y mínimo de los intereses a pagar por el prestatario. Ahora bien debe cumplir con el siguiente requisito: la exigencia de que una cláusula contractual deba redactarse de manera clara y comprensible es una obligación no sólo de que la cláusula considerada sea clara y comprensible gramaticalmente para el consumidor, sino también de que el contrato exponga de manera transparente el funcionamiento concreto del mecanismo de forma que el consumidor pueda evaluar, basándose en criterios precisos y comprensibles, las consecuencias económicas derivadas a su cargo. Es decir, garantizar el consentimiento informado del consumidor.

La protección del prestatario, especialmente si es consumidor, es considerado por el artículo 51 de nuestra Constitución como un principio rector de la política social y económica. El consumidor se halla en una situación de inferioridad respecto al profesional, tanto en la capacidad de negociación como en la información que maneja cada una de las partes («asimetría informativa»), lo que le lleva a adherirse a las condiciones redactadas por el profesional, sin poder influir en el contenido de éstas:

196

auténticas «lentejas» ... Ya la sentencia del Tribunal Supremo de 9 de mayo del 2013 exigía que el cliente conociera, antes de la celebración del contrato, la cláusula suelo y el efecto que durante la ejecución del contrato pudiera tener sobre el coste real del crédito, para que pudiera adoptar la decisión de contratar con pleno conocimiento de causa. La sentencia del Tribunal de Justicia de la Unión Europea, de 21 de diciembre del 2016, a mayores, determina que lo que es nulo lo es a todos los efectos, por lo que la situación debe quedar íntegramente restaurada, como si la cláusula suelo no hubiera existido. Consecuencia inmediata de esta sentencia es el Real Decreto-Ley 1/2017, de 20 de enero, de medias urgentes de protección de consumidores en materia de cláusulas suelo: un procedimiento para la resolución extrajudicial de las posibles diferencias entre las entidades y sus clientes. Recibida la reclamación, la entidad de crédito deberá efectuar un cálculo de la cantidad a devolver y remitirle una comunicación al consumidor desglosando dicho cálculo; en ese desglose la entidad de crédito deberá incluir necesariamente las cantidades que correspondan en concepto de intereses. En el caso de que la entidad considere que la devolución no es procedente, comunicará las razones en que se motiva su decisión, en cuyo caso se dará por concluido el procedimiento extrajudicial.

El plazo máximo para que el consumidor y la entidad lleguen a un acuerdo y se ponga a disposición del primero la cantidad a devolver es de tres meses a contar desde la presentación de la reclamación. Se entiende que el procedimiento extrajudicial ha concluido sin acuerdo y que el consumidor puede adoptar las medidas que estime oportunas —por ejemplo, presentar una demanda— si la entidad de crédito rechaza expresamente la solicitud del consumidor, si finaliza el plazo de tres meses sin comunicación alguna por parte de la entidad de crédito al consumidor reclamante, si el consumidor no está de acuerdo con el cálculo de la cantidad a devolver efectuado por la entidad de crédito o rechaza la cantidad ofrecida, o si transcurrido el plazo de tres meses no se ha puesto a disposición del consumidor de modo efectivo la cantidad ofrecida.

En fin, llegó el día. La mayoría de los afectados presentaron sus reclamaciones durante los meses de febrero y marzo y, por tanto, en estos días se está cumpliendo el plazo de tres meses. A partir de ahora la vía judicial es el siguiente paso. En el Derecho Civil español la regla general es la nulidad con derecho a restitución íntegra. Si algo es nulo, lo ha sido desde siempre y no debe producir ningún efecto. Después de lo sufrido con las preferentes, las subordinadas, las cláusulas suelo es casi milagroso que algunas entidades financieras todavía tengan clientes.

XLVII

Detrás de los números
hay personas

14 de julio del 2017

áritas Diocesana de León ha presentado su Memoria de Actividades 2016 que recoge las acciones desarrolladas a través de sus programas a favor de las personas excluidas. Leerla me ha llevado, con facilidad, a reflexionar sobre la aguda crisis que estamos padeciendo; sobre el sufrimiento de muchas personas, especialmente las más desprotegidas. Crisis es la palabra que envuelve tantos y tan variados problemas característicos de la situación económica y social de estos últimos años. La gente-de-a-pie la siente como una amenaza que pende sobre la estabilidad de sus puestos de trabajo, así como en los recortes salariales, los expedientes de regulación de empleo o el paro. La vemos y padecemos en la regulación de las pensiones y el recorte o desaparición de ayudas sociales. Muchos empresarios, sobre todo pequeños y medianos, la sufren en la dificultad para acceder al crédito o en la disminución de sus pedidos. Estos hechos son realmente graves. No podemos esconder la cabeza frente a los que está ocurriendo, ni mucho menos, mirar para otro lado frente al sufrimiento de tantas personas. Estas situaciones manifiestan las carencias de fondo de nuestro modelo económico y social. Y, más allá de la economía y de la política, implica igualmente cuestionarnos nuestra forma de vivir.

La actual crisis está directamente relacionada con la tendencia predominante de confiar el funcionamiento del mercado financiero a su capacidad de autorregulación. Esta tendencia nos ha conducido a la desregulación, privatización y liberalización de los mercados financieros. En tal situación de autorregulación, los mercados financieros han tenido graves fallos, que evidencia una profunda quiebra ética. Uno de los resultados ha sido la producción de «burbujas» que acabaron por contaminar y reventar todo el sistema. Otro fenómeno inquietante ha sido la importancia creciente del sector financiero en el conjunto de la economía. Si bien el sistema financiero juega un papel clave e insustituible, su crecimiento exagerado no ha guardado relación con el conjunto de la economía. Esta creciente separación entre industria financiera y economía real ha de ser profundamente examinada y evaluada a la luz de la crisis. La innovación financiera ha avanzado notablemente, colaborando así a la mejora de la economía; sin embargo, hay que distinguir con claridad este factor positivo de los perniciosos efectos causados por ciertas prácticas de «ingeniería financiera» sin las que probablemente la crisis, de producirse, habría sido mucho menos virulenta. Enloquecidos por el objetivo inmediato de perseguir resultados a corto plazo, se han dejado de lado dimensiones propias de las finanzas como favorecer el empleo de los recursos ahorrados allí donde favorecen la economía real, el bienestar de las personas.

La crisis ha evidenciado el progresivo distanciamiento entre la llamada «economía financiera» y la denominada «economía real». Sus consecuencias han resultado desastrosas al haberse desencadenado una espiral de causas y efectos: colapso financiero, parón industrial e inmobiliario, sequía de inversiones en bienes y equipos, alto y rápido incremento del desempleo, fuerte contracción del consumo, brusca caída de los ingresos fiscales, déficits presupuestarios inasumibles y, como consecuencia, una diferencia creciente entre los recursos disponibles y las medidas necesarias de protección social. Esta cadena, aparentemente «técnica», tiene, sin embargo, un final trágico para muchas personas y familias que han perdido su trabajo y sus ingresos, ven con angustia la disminución e incluso desaparición de ayudas sociales, resultan expulsadas del sistema económico y corren el riesgo de serlo del sistema social.

Curiosamente, para salir de la crisis los gobiernos tuvieron que rescatar a los mercados e instituciones financieras de su auto-debacle. Mediante una ingente inyección de dinero público. De la noche a la mañana, el principio «cuanto menos gobierno, mejor» fue sustituido por «los gobiernos deben actuar urgente y decididamente para evitar un desastre». Es obvio que las cuestiones que tal paradoja plantea son de profundo calado financiero, económico, político y ético: es necesario refundar el sistema financiero internacional sobre nuevas bases. La economía no es éticamente neutra. Es una actividad humana y, como tal, debe ser articulada e institucionalizada.

En fin, no niego lo que de beneficioso y necesario tiene el mercado; sin embargo, opino, que no es cierto que lo mejor para el interés general sea dejar que el mecanismo del mercado obre con entera libertad sin ninguna interferencia de ningún tipo. Nunca ha existido ningún mercado tan libre ni perfecto, ni podrá existir, por la sencilla razón de que los mercados están operados por personas y grupos, sujetos a sus propias debilidades e intereses, Aunque sólo fuera por esto, el recto juego del mercado debe ser garantizado por los poderes públicos, que deben impedir toda práctica lesiva para el interés general. Detrás de esos números hay personas concretas, con historias de angustias y tragedias. Y no olvidemos que cuando se comete un error en cuestión de derechos, el error no se llama error, sino se llama injusticia.

XLVIII

Aprender a ser amable

21 de julio del 2017

Creo que, si preguntáramos, la respuesta sería casi unánime: el mundo necesita amabilidad. Siendo amables seremos capaces de transformarlo en un lugar más feliz en el que vivir; y, si no feliz, al menos, más agradable. La amabilidad es el hábito de tratar a las personas con deferencia y respeto por el hecho de ser personas. Para ser amable no hay que inscribirse en ninguna organización, es tan fácil como decidir que se quiere ser amable y comenzar a serlo. Se puede aprender a ser amable. No esconde secretos mágicos, ni siquiera es complicado. Tan solo exige prestar atención a las cosas que se hacen y cómo se hacen.

No debiera pasar un solo día sin que encontráramos una ocasión de ser amable. No hay amabilidad si no es particular. Vamos, que no se es amable «en general»; se es amable particularmente, con alguien. La amabilidad se concreta en la paciencia, la solicitud («eso» qué-es-lo-que-es: ser solícito es prestar pequeños servicios antes de que te los pidan), el espíritu de servicio y la cortesía. La manera de saludar, la hospitalidad, las muestras de comprensión…

La amabilidad es una manifestación de confianza en los demás. A nuestra pobre naturaleza humana le cuesta lograr el arte de soportar a los demás. Algunos creen que descubrir defectos es señal de sabiduría, pero nada requiere tan poca inteligencia. Los defectos ajenos no nos llamarían tanto la atención si nos dedicáramos a examinar los nuestros. Pocas veces medimos los defectos ajenos y los propios con el mismo rasero. A veces perdemos el tiempo proponiéndonos hacer mejores a los demás cuando hay tantas cosas en nuestra vida que necesitan ser corregidas, mejoradas. Nosotros primero: basta con ocuparnos de lo nuestro. Amabilidad es la mirada que se fija en el-cómo-sí e ignora el-cómo-no. A veces es más fácil soportar, con paciencia, a los demás que ilusionarnos con que cambien costumbres, formas de ser, adquiridas durante toda una vida. Procura pensar por qué la gente hace lo que hace: es mucho más provechoso que la crítica y fomenta la comprensión, la tolerancia y la amabilidad.

Los gestos amables cuestan menos cuanto más frecuentes son. Cuestan poco y rinden mucho. Una de las maneras más sencillas de ganarse a alguien es recordar cómo se llama y hacerle sentir que te importa. Vale la pena el esfuerzo de grabar el nombre de los demás: vecinos, compañeros de trabajo, el cajero del supermercado, alumnos… Hay veces que no apetece. Entonces toca sobreponerse a las emociones, por difícil que nos resulte. Y no es ninguna hipocresía dejarse regir por la voluntad en vez de por los sentimientos. Una sonrisa puede hacer mucho bien. Es uno de los medios de que dispone la naturaleza para hacer felices a los demás. Cuesta poco y hace mucho: enriquece a quien la recibe sin hacer más pobre a quien la ofrece.

Es más fácil ser educado y atento con los extraños que con quienes convivimos habitualmente. No hay mayor fuente de conflicto que el mal uso de la lengua. Probablemente no sea tan malo golpear a alguien o privarle de todos sus bienes como mermar la buena opinión que se tenga de él, porque es propio de la naturaleza del hombre aferrarse a su honor con más tenacidad que a cualquier otro bien natural. Las discusiones causan buena parte de la infelicidad, especialmente, en las familias. La situación se complica cuando aumentamos el volumen de nuestra voz en vez de esforzarnos por mejorar nuestros argumentos. Hablar es gratis, pero, como habitualmente sucede con lo que no nos cuesta, al final, puede salirnos caro. En inglés la expresión «to hold one's peace», conservar la paz, significa guardar silencio. Tenemos una boca y dos oídos, lo que indica una proporción de dos a uno, que debiera valer también para el hablar y el escuchar. Como dice mi amigo Mariano, cuando no se pueda hablar bien de alguien, lo mejor es callarse.

Nadie se basta a sí mismo. Esta necesidad mutua debe llevarnos a sentir agradecimiento y aprecio por el trabajo de todos aquellos que nos presten un servicio. Me despierto y enciendo la luz, abro un grifo y sale agua, bajo por unas escaleras limpias, camino por unas calles seguras. Detrás hay gente —personas como tú y como yo— que nos sirven con su trabajo. No hay nadie que se sienta tan seguro de sí mismo siempre y hasta el punto de que no necesite nunca una palabra de reconocimiento, una palmada en la espalda o un comentario amable. El simple hecho de que nos digan que estamos haciendo un buen trabajo nos amina a hacerlo mejor. El reconocimiento más insignificante puede tener un efecto multiplicador. Como la doble recompensa de las palabras amables: te hacen feliz a ti y hacen felices a los demás.

XLIX

Vivir hacia dentro

25 de julio del 2017

Hay un tipo de personas que dan la impresión de estar anestesiados, u ocupados en cosas inútiles o buscando cualquiera de los modos de evasión más a su alcance (alcohol, sexo, drogas o teorías). Habitualmente se trata de gente joven que pretende encontrarse a sí misma en la búsqueda de experiencias nuevas, o intenta afirmarse en actitudes de rebeldía o exasperación, y que, a veces, producen inmensa tristeza, sobre todo cuando a los veinte años —y aun antes— han agotado todas las experiencias y han perdido todas las ilusiones, convertidos en viejos prematuros, con una vida estéril que no sirve para nada porque no sirve a nadie.

Esta civilización que estamos viviendo, en medio de muchas cosas excelentes, resultado de aportaciones pacientemente acumuladas, cribadas y perfeccionadas por muchas generaciones, no tiene como característica el sosiego que incita a la reflexión. No es una civilización que facilite la interioridad; peor aún, me atrevería a decir que, en conjunto, es una civilización que combate la interioridad con medios de una potencia inigualable: con la prisa, con la productividad, con las redes sociales, con la velocidad, con la superficialidad. Y ha dado lugar a este tipo de personas obsesionadas, crispadas, apresuradas, sin tiempo; a este tipo de persona que ya no reflexiona porque se nutre de tópicos o de consignas, o porque se ha convertido ya en un robot especializado en cualquier clase de trabajo, o porque simplemente carece de tiempo, de sosiego y hasta de gusto. Atrapados en ese cepo que la sociedad super-desarrollada-de-hoy ha dispuesto tan sagazmente: vivir hacia fuera, no hacia dentro; sustituir el pensamiento por la publicidad, la lectura por las redes sociales, el silencio por el ruido, la intimidad por la exhibición, las ideas por los tópicos y los argumentarios. Es una espantosa miseria la del hombre moderno, un siniestro legado el que recibe la juventud de hoy.

Hoy el hombre en general, y una parte de la juventud en particular, han destruido las murallas que le defendían y aseguraban su integridad frente a las fuerzas destructoras. Han destruido los «mitos», han terminado con los «tabús». Y, en realidad, lo que han destruido, lo que han aniquilado, es la verdad en nombre de la libertad, y para ser «libre» la han sustituido por ilusiones, sueños, optimistas visiones del porvenir, teorías tan brillantes como carentes de fundamento. Hace mucho tiempo que se está edificando sobre arcilla sistema tras sistema, teoría tras teoría. Sólo impresiones, sentimientos, opiniones, teorías, emociones, hipótesis e inestabilidad, todo fluyendo. No hay justicia sin unos principios verdaderos válidos para todos.

Hoy se están empleando palabras grandes y sonoras, pero muchas veces lo que encubren es hediondo. Faltan grandes ideales, metas de gran altura y ambición. Uno acaba vacío y cansado de tanto cambio efímero y de tanto esfuerzo inútil. De estar constantemente elaborando teorías que sustituyan a las que acaban de caducar, y al final todo es un gigantesco artificio, una especie de juego convencional en el que todo son hipótesis provisionales en sucesiva bancarrota. El hombre es libre, pero no es independiente. La limitación y la dependencia son connaturales al hombre por el mero hecho de serlo. Si todo hombre está vinculado a algo, o a alguien, la calidad de la libertad depende de la calidad del vínculo que, al atarle, da la referencia de la elección que el hombre hace. No se dice que un animal, o una planta o una piedra, sean seres libres, aunque, por ejemplo, un perro pueda ir a una parte u otra, o una planta crezca libremente. Y una persona sí puede pensar, reflexionar, conocer, querer; y las personas sí son responsables.

Las estructuras no hacen más que reflejar lo que los hombres llevamos dentro: nuestro concepto del mundo, de las cosas, de nuestras relaciones, de la existencia misma. No nos engañemos. Si un problema se plantea bien, hay muchas probabilidades de que se resuelva bien; pero si se plantea mal, sería un milagro encontrar como resultado una solución adecuada. Si queremos mejorar el mundo, éste que tan injusto encontramos, lo primero que hace falta es que nosotros mismos mejoremos; y luchemos por arrancar de nuestro propio interior la injusticia y el egoísmo, la ley del mínimo esfuerzo y la soberbia, la ira; en fin, todos estos criterios tan de hoy y que tan profundamente se nos han metido dentro. En vez de juzgar a los demás, pero jamás entrar en juicio consigo mismo; acusar a los demás, pero evitar, por todos los medios, contemplar el propio mundo interior, no sea que uno tenga que ocuparse, con urgencia, de sí mismo porque se encuentre tan mal como la sociedad que quiere cambiar.

L

Tiempo de pensar

28 de julio del 2017

Hace unos días dialogaba con unos jóvenes sobre la diferencia que hay entre ver y mirar, entre oír y escuchar. Cada uno de nosotros está viendo constantemente un montón de cosas que están sucediendo a nuestro alrededor, y, sin embargo, nos pasan inadvertidas, como si no sucedieran. Sencillamente, no las miramos, no ponemos atención en ellas. La atención, pues, es lo que diferencia al oír del escuchar, el ver del mirar.

Hay otro modo de atención, el que nace no de la atracción exterior que sobre ella ejerza un estímulo adecuado, sino del libre querer. Es ese tipo de atención que se pone cuando algo nos interesa de verdad, independientemente de que nos atraiga instintivamente o no; es el caso, por ejemplo, del que se empeña en aprender letón o vietnamita, no porque le divierta saber idiomas o encuentre entretenido su aprendizaje, sino porque tiene un positivo interés en llegar a saberlos. Entonces es cuando, verdaderamente, se muestra la autenticidad de la actitud, en el sentido de que la atención es verdaderamente la manifestación positiva de un interés real, y no una mera apariencia que no responde a lo que significa. Un hombre puede hacer mucho por otro. Puede hacerlo casi todo, desde pensar por él hasta resolverle la vida. Pero hay una cosa, una sola, que nadie puede

211

hacer por otro: querer. Aquí es donde cada uno se encuentra en absoluta soledad, donde nadie puede esperar nada de otros porque se trata del acto más puramente personal, de la más genuina manifestación del yo en lo que tiene de único.

A veces, vivimos instalados en la superficialidad. Una superficialidad, me parece, que en algunos proviene de la convicción de que saben cuánto hay que saber, razón por la cual no se les ocurre pensar, leer o preguntar nada al respecto; otros porque, sencillamente, no tienen tiempo, ya que lo emplean todo en una atención desparramada en asuntos cotidianos, a los que dan importancia porque son sensibles e inmediatos, y, relegan al último lugar —a ese lugar para el que nunca queda tiempo— lo único que de verdad tiene importancia. Superficialidad por vanidosa autosuficiencia, superficialidad por pura comodidad, por ignorancia.

Somos unos simples transeúntes que se dirigen a una meta. Esa situación de provisionalidad que es la vida del hombre es un hecho evidente. Hubo un tiempo en que no existíamos, y la historia se iba desarrollando como siempre a pesar de nuestra no existencia. Nadie nos echó de menos, ni nadie podía hacerlo. Dentro de algún tiempo ya habremos muerto, y tengo la completa seguridad de que no pasará nada. La vida de la humanidad seguirá más o menos como siempre y, excepto muy pocas personas, y por muy poco tiempo, nadie nos echará de menos. Esta temporalidad del hombre es un hecho, no una teoría; un hecho que no depende de nosotros y que nosotros no podemos modificar. Y este hecho nos lleva a concluir que no somos unos seres independientes. No dependió de nuestra voluntad el nacer. Y no depende tampoco de nuestra voluntad la muerte; ésta se producirá inevitablemente, nos guste o no, queramos o no. Independientemente de nosotros, y antes de que fuéramos, existe una realidad en la que, al nacer, fuimos insertados. Una realidad que podemos reconocer, aceptar, negar, ignorar o combatir, pero de ningún modo eliminar, porque es anterior e independiente de nuestra voluntad, y está fuera de nuestras posibilidades.

No es la atención a verdades profundas lo que caracteriza a la gente de nuestro tiempo; más bien parece lo contrario. Como si su actitud psicológica fuera precisamente evitar, a fuerza de desparramar la atención en mil cosas distintas, que con frecuencia son valores insustanciales. En nuestro tiempo pensar no constituye un objetivo para la mayor parte de la gente. Hay, en su escala de valores, cosas que consideran mucho más urgentes e inmediatas y, también, mucho más importantes: el éxito, la eficacia, el dinero, la fama (que hoy se traduce por notoriedad), el placer, el confort, la política, el poder. En fin, pensar no está de moda, quizá porque nos hemos creado tantas necesidades que ya no hay tiempo de pensar. Pero, atención, porque, cuando el pensamiento está ausente, entonces no hay libertad.

Sonreír

14 de agosto del 2017

Las buenas maneras y las formas son mucho más esencia-les, significativas y necesarias de lo que se cree. La buena educación sirve precisamente para corregir las reacciones instintivas de la naturaleza humana. Las buenas maneras son manifestaciones externas de respeto hacia la humanidad de los demás. He leído «Sonreír. Amabilidad y buen humor en la vida cotidiana» de Carlo De Marchi. Un libro delicioso, que te invita a pensar. Se puede leer, despacito, saboreándolo, en un par de tardes de verano.

Ahí he leído que ser amable es más difícil que ser inteligente. Y creo que esta afirmación tiene una cierta explicación racional: la inteligencia es un don, la amabilidad una elección. Necesitamos un nuevo humanismo en nuestra sociedad. Promover cualidades sociales como la amabilidad, la cortesía, la cordialidad, la gentileza, la delicadeza, aprender a sonreír. Nada que ver con la afectación, esa especie de ficción benévola y superficial, motivada no pocas veces por el deseo de alcanzar un objetivo pragmático. Inmediatamente, todos recordamos con horror al-pelota-de-turno que, por ejemplo, en el trabajo adula al jefe, le ríe las gracietas, etc.

Las relaciones humanas son una necesidad y, sin ellas, la vida no es vivible. A menudo nos referimos a las buenas maneras como cosas de otros tiempos... Sin embargo, hoy, tienen un éxito creciente los cursos que enseñan algunas formas elementales de cortesía, de buen tono, por ejemplo, en la mesa, ya que muchas veces no se enseñan ni en la familia ni en el colegio. El arte de usar los modos, los comportamientos adecuados a cada circunstancia. Lo que llamamos como elegancia, cortesía, buena educación, o con muchas otras expresiones con las que se indican las buenas maneras. No se trata de hipocresías, formalidades ni caricaturas, sino del modelo del humanismo clásico y cristiano de quien no se considera diferente a ninguno de sus semejantes, ni juzga indiferente nada relacionado con otra persona. Hay estudios que concluyen que de esta capacidad para ser amable depende una buena parte del éxito personal.

Ser amables no quiere decir que tengamos que estar de acuerdo con todos en todo. Tratar bien a una persona no significa decirle siempre que sí, ni mucho menos elogiarla cuando no lo merece. Habitualmente en el trabajo es frecuente que se tenga que decir que no. Lo que suele ocurrir es que de las diez maneras que hay para decir no, solemos escoger la más antipática. Disentir de manera cordial no es una contradicción. Recibir una corrección sobre un comportamiento equivocado del que no me he dado cuenta es un regalo impagable. Aprender el arte del debate: disentir, dialogar contradecir, rebatir con amabilidad. No hay dogmas en las cosas temporales. Un objeto que a uno parece cóncavo, parecerá convexo a los que estén situados en una perspectiva distinta.

Nuestros gestos y palabras no son puras formalidades sin significado. Expresan siempre algo de intimidad de la persona que los realiza. Un gesto que es particularmente significativo es la sonrisa. Alguien dijo algo así como la sonrisa es la línea más corta para unir a dos personas. Gran verdad. Un comportamiento cordial con los demás, con cada persona, por el simple hecho de ser personas. El adjetivo cordial es particularmente significativo porque añade el matiz de implicación del corazón, es decir, de lo más íntimo que existe en la esfera de una persona. Hacer sentir a las personas con quienes convivimos que se les tiene en cuenta y se les aprecia como personas. Para vivir así hace falta luchar. Una lucha decidida contra la tendencia que todos tenemos a «que nos dejen en paz», a estar encerrados en nosotros mismos, en nuestro propio yo. A ver a los demás como potenciales perturbadores de mi paz personal. El valor esencial, lo importante, no es la autonomía de cada uno como individuo, sino la interdependencia de las personas, que por sí mismas no consiguen ser plenamente ellas mismas. La sonrisa es un gesto fundamental con el que se manifiesta la apertura hacia los demás.

Esto no sólo es religión. Marco Tulio Cicerón, unos cincuenta años antes del nacimiento de Jesucristo, dijo aquello de que «la justicia es la disposición del alma que da a cada uno lo suyo y tutela con generosidad la convivencia social de los hombres; a ella van unidas la piedad, la bondad, la generosidad, la benignidad, la afabilidad y todas las demás de este género». Es humanismo, que amplía el habitual concepto de justicia y no lo limita únicamente a los comportamientos codificados y exigibles legalmente. La justicia establece que se dé a cada uno lo suyo, que no es igual que dar a todos lo mismo. El igualitarismo utópico ha sido —y es— fuente de las más grandes injusticias. Como dice mi amigo Mariano, únicamente con la justicia no se resolverán nunca los grandes problemas de la humanidad. La sonrisa genera vínculos, cultiva lazos, crea nuevas redes de integración, favorece la construcción de una base social firme.